만성통증 교과서

Principles of Chronic Pain:
Practical techniques

만성통증 교과서

첫째판 1쇄 인쇄 | 2019년 4월 15일
첫째판 1쇄 발행 | 2019년 4월 30일

집   필   대한신경통증학회
발 행 인   장주연
책 임 편 집   한수인
편집디자인   양은정
표지디자인   김재욱
일 러 스 트   김경렬
발 행 처   군자출판사(주)
           등록 제4-139호(1991. 6. 24)
           본사 (10881) **파주출판단지** 경기도 파주시 회동길 338(서패동 474-1)
           전화 (031) 943-1888   팩스 (031) 955-9545
           홈페이지 | www.koonja.co.kr

ISBN   979-11-5955-441-4 [93510]
정가   90,000원

편찬위원회

집필진

현대의학은 환자들의 아픔을 해결하기 위한 직접적인 치료에 눈을 뜨고 적극적인 통증치료를 위해 많은 다양한 효과적인 치료법을 받아들이고 치료에 도입하여 많은 성과를 가져오고 있습니다.

박정율 전임 회장님을 중심으로 대한신경통증학회는 만성통증을 진료하고 시술하는 데 기본적인 술기에 충실한 책을 만들기로 결정하였습니다. 이에 만성통증의 술기가 전문적이고 증거 중심의 치료를 할 수 있으며 좀 더 환자의 접근이 용이한 책을 발간하기에 이르렀습니다. 지금까지 만성통증 관련 그림, 사진 모두 훌륭한 책자들이 많이 나왔지만, 시술자가 시술을 준비할 때나 또는 시술 중, 시술 후에 언제든 바로 보기 편한 가이드라인을 제시하고 보험 심사 평가 기준을 제시함으로써 의료 현장에서 진료에 실질적인 도움을 주는 책자는 없었습니다.

책의 내용은 총 4부로 나누어져 있으며, 1부에서는 통증에 대한 기본적인 개념, 사용 약제, 기본 술기, 기능의학의 이해, 2부는 기본적이고 일반적으로 시행되는 만성통증 술기, 3, 4부는 기존의 시술들을 통하여 최근 새로운 술기로 개발되어 각광받고 있거나 각광받을 수 있는 술기를 요약하고 정리하였습니다. 특히 4부는 아직 보편화 되지 않았으나 점차 보편화 되어, 많은 발전을 이룰 수 있는 초음파를 이용한 기본 술기에 충실히 서술하였습니다. 끝으로, 만성통증 교과서는 일반적인 상황에 대하여 과학적 근거가 있는 보편적인 표준진료 행위를 제시함으로써 만성기 통증의 진료를 담당하는 침습적·비침습적 치료를 하는 의사의 판단에 도움을 주는 것이 주 목적이며, 아울러 담당의사가 환자의 여러 상황을 고려하여 개개 환자에 대한 진료에서 최종 판단에 도움을 주고자 합니다.

윤영설 전임회장님과 신동아 학술이사님, 지규열 총무이사님께서 만성통증 교과서의 기본 틀을 만드는 데 많은 도움을 주셨습니다. 저자로 참여하신 모든 분들은 임상적 경험 및 근거 중심을 바탕으로 자신의 역량을 기부하여 주셨습니다. 편집위원회가 신동아 교수님, 지규열 소장님, 조평구 교수님, 박상혁 원장님, 임태규 과장님으로 구성되어 10여 회 이상을 만나 번득이는 아이디어가 오가고, 가열찬 토론을 하였으며, 카톡을 통하여 수많은 의견을 개진하여 책자가 만들어졌습니다. 지속적인 관심을 보여주시고 응원하여 주신 고도일 회장님, 연세바른병원 회의실을 기꺼이 허락하신 조보영 원장님, 이상원 대표원장님, 멋진 책을 만들 수 있도록 도와주신 군자출판사 관계자분들께 감사드립니다. 열정적인 헌신과 희생의 산고로 이 책이 나오도록 노력하신 편집위원님들께 머리 숙여 존경을 표합니다.

2019년 4월
대한신경통증학회 편찬위원장 유 찬 종

우선 대한신경통증학회의 교과서가 처음으로 탄생한 것을 다 같이 진심으로 축하합니다.

약 20년 전인 2001년 영동세브란스병원(지금은 강남 세브란스병원)에서 대한신경통증연구회의 창립 총회와 제1회 학술대회를 상기해 봅니다. 그 당시에는 통증치료는 주로 마취통증의학과에서 주사로 시행하는 차단치료가 대부분이었고, 신경외과에서는 주로 개원가에서 간혹 시술하는 정도였습니다. 대학에서는 신경외과 의사들이 수술하기에도 손이 모자라서 통증시술 등에는 소홀히 할 수밖에 없었습니다. 그러나 대부분 척추질환에서 발생하는 신경통증은 신경외과 의사들이 척추수술부터 비수술적 신경차단술까지 전체를 파악하여 잘 관리할 수 있는 것이기 때문에, 척추신경외과 교수들과 신경외과 개원의들이 합심하여 신경통증연구회를 창설하게 되었습니다.

학회 창설 이후에 신경통증 치료분야에서 급격한 발전이 이루어지고 있습니다. 단순히 신경차단술에 그쳤던 비수술적 치료방법들이 학회를 거듭할수록 카테터를 이용한 척수경막외 신경성형술, 척추추간공 풍선확장술, 내시경레이저 경막외 디스크감압술 등으로 괄목할 만한 성장을 이루고 있습니다.

시작의 어려움과 중요성은 아무리 강조해도 지나치지 않습니다. 그만큼 학회의 첫 교과서 편찬은 매우 어려웠으리라 생각합니다. 우리 학회뿐만 아니라 외부 감수위원을 포함하여 많은 분들의 큰 노고 끝에 출간하는 만큼 부디 많은 신경외과의들이 이 교과서를 접하여 실질적인 술기를 익히고, 이것이 신경외과 전체의 발전으로 이어졌으면 좋겠습니다. 대한신경통증학회의 대학가와 개원의를 모두 아우르는 창립 의의에 부합하는 기념적인 일이 아닐까 합니다. 첫 만성통증 교과서를 시작으로 삼아 앞으로도 대한신경통증학회의 훌륭한 경험과 업적을 보여주며 향후 더욱 발전하길 바라면서 격려합니다.

감사합니다.

2019년 4월
대한신경통증학회 명예회장 김 영 수

　　대한신경통증학회는 2001년 김영수 초대 회장님의 학회 창립 이래로 만성통증 환자들의 치료를 위해 많은 학술활동을 펼쳐오고 있습니다. 마침내 만성통증 교과서 편찬에 이르기까지 학회와 신경외과 발전을 향한 아낌없는 지원을 해주신 대한신경통증학회 임원진 및 회원 여러분께 고개 숙여 인사드립니다. 교과서 발간을 위해 초석을 마련해주신 박정율 전임 회장님과 본격적으로 교과서 편찬 작업이 궤도에 오르도록 도와주신 윤영설 전임 회장님에게도 감사의 말씀을 드립니다.

　　신경외과 의사로서의 한 걸음 한 걸음이 조심스럽고 어렵습니다. 저수가와 무한 경쟁의 의료시장, 통증 치료의 주체가 여러 영역으로 넘어간 상황으로 인하여 현재 신경외과는 대내외로 많은 어려움에 직면해있습니다. 이러한 불안 속에서 고뇌하는 신경외과 의학도들을 위하여 누구나 쉽게 시작할 수 있고, 어렵지 않게 체득할 수 있는 실전 위주의 내용을 만성통증 교과서에 담았습니다.

　　본 교과서는 통증의 소개에서부터 투약 치료, 기본 술기와 주사, 카테터를 이용한 비수술적 치료를 거쳐 초음파를 이용한 치료에 이르기까지 모든 내용을 이론보다는 실제 외래에서 적용하기 쉽도록 풀어 설명하였습니다. 글자보다는 도해 위주의 교육법으로 의학도들의 이해를 돕고, 줄글보다는 체계적이고 간단한 순서를 통해 한 번 본 내용을 잊지 않도록 가볍게 압축하여 전달하고자 하였습니다. 부디 대한신경통증학회의 만성통증 교과서가 신경외과 후학들의 핵심 가이드라인이 되길 바라며 훌륭한 집필진들의 경험을 총 4개의 대단원과 19개의 소단원 속에 녹여냈습니다.

　　만성통증 교과서 집필 기간 동안 연구활동으로 바쁜 와중에도 도움을 주신 유찬종 편집위원장님 이하 집필진, 편집위원 그리고 감수위원 여러분께 감사의 인사를 드립니다. 본 지면을 빌어 항상 소리 없이 큰 힘이 되어 도와주시는 최선길 명예회장님과 김상진 교수님, 대한신경통증학회가 발전할 수 있도록 기틀을 다져주신 서중근 교수님, 항상 물심양면으로 학회에 도움을 주시는 조경석 교수님께 심심한 감사의 인사를 드립니다. 편집과 출간을 위해 수고하신 군자출판사와 관계자분께도 감사 드리며, 대한신경통증학회 만성통증 교과서가 새 발을 내딛는 신경외과의들의 디딤돌이 되기를 기원합니다.

2019년 4월
대한신경통증학회 회장 고 도 일

PART 1

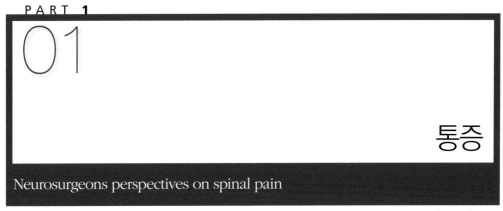

01

통증

Neurosurgeons perspectives on spinal pain

신동아, 윤영설

통증은 실존하거나 잠재적인 조직손상 또는 이를 일으킬 수 있을 만한 손상과 관련된 불쾌한 감각 및 정서적 경험으로 정의할 수 있다. 생리적 관점에서 통증은 뜨거운 물체에서 손을 피하는 것과 같은 자연스러운 방어 메커니즘으로 실제 질병의 본질을 밝혀낼 수 없는 증상이다. 그러나 통증이 3개월 이상 지속되면 기질적인 문제가 없는 경우에는 병리학적 증상이 나타날 수 있다. 통증은 특정 조건에서 인간의 생존을 위한 필수적 증상이나 삶의 질을 저하하며 심할 경우 사망에 이를 수도 있다.

통증은 침해성통증(nociceptive pain), 중추성통증(central pain), 신경병성통증(neurogenic pain) 및 심인성통증(psychogenic pain)으로 분류할 수 있다(Figure 1). 침해성통증은 열, 냉기 또는 압력과 같은 유해한 자극이 통각수용기를 자극할 때 나타난다. 침해성통증은 손상된 조직의 유형에 따라 체성통증(somatic pain)과 내장성통증(visceral pain)으로 분류할 수 있으며 기전에 따라 분류하면 기계적 통증(mechanical pain)과 화학적 통증(chemical pain)으로 분류할 수 있다. 기계적 통증은 구조적으로 불안정성을 보이거나 신경압박으로 인해 발생하며 염증성 물질의 발생으로 통증 전달 회로를 민감하게 만든다는 것이 밝혀졌다. 신경병성통증은 어떤 자극이 없어도 통증 시스템의 기능 장애로 인해 통증이 유발될 수 있다. 중추성통증은 시상 또는 체성 감각피질의 기능부전으로 인해

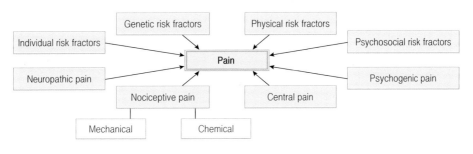

Figure 1. 통증의 위험요소와 분류

발생할 수 있다. 마지막으로 심인성통증은 정신장애로 인한 통증 상태로 정의할 수 있겠다.

과거에는 통증이 말초 장기의 기능장애로 기인하며 폐쇄 시스템을 통해 통증이 말초에서 뇌로 전달된다고 알려졌었다. 그러나 임상에서 명백한 구조적 이상이 없어도 통증이 악화되거나 구조적 이상을 치료하지 않았음에도 불구하고 통증이 완화되는 경우를 흔히 접할 수 있다. 이를 설명하기 위해 관문통제설(gate control theory)이 제시되었다. 관문통제설은 통증이 비통증 신경섬유의 자극에 의해서 감소될 수 있다는 규제 메커니즘을 제시하였고 이것은 신경자극술의 근간이 되는 이론이다. 감작 메커니즘이 밝혀지고 척수와 뇌에서 신경가소성이 확인되는 등 만성통증 환자에서 신경계는 현저히 변화를 일으킨다. 따라서 이러한 변화를 통해 말단부의 기능장애 없이 통증을 유발하거나 완화할 수 있다고 가정할 수 있다.

하지만 아직까지 통증의 기전은 밝혀진 것이 적으며 관습적인 치료에 효과가 없는 경우도 많다. 따라서 의사가 통증을 호소하는 환자를 대했을 때 근거에 기반한 치료로 접근하는 것이 바람직하다. 왜냐하면 통증의 치료는 많은 종류의 중재술 혹은 치료법이 존재하며 선택한 치료가 오히려 환자에게 해를 끼칠 가능성이 있기 때문이다. 따라서 의사는 시술의 효과와 효능을 객관적으로 평가하고 환자와 함께 최선의 치료법을 선택하기 위해 신중을 기해야 한다. 통증의 치료에서 수술적인 치료는 그 역할이 제한되며 명확한 지시와 동의서가 필요하다. 신경압박 및 다리의 방사통이 동반하지 않은 요통을 수술했을 경우 예후가 좋지 않다는 Wetzel 등의 보고를 주의 깊게 살펴야 할 필요가 있다.

환자는 보통 질병이 아닌 자신의 증상을 해결하기 위해 내원한다. 따라서 의사는 복합적인 증상과 징후에서 특정 병상을 감별할 수 있어야 한다. 병력 청취, 통증 mapping, 신경학적 검사 및 영상학적 분석이 전반적으로 고려되어야 한다. 또한 의사는 통증 유발인자와 신체적인 요인뿐만 아니라 환경 및 심리적 요인도 함께 고려해야 한다. 통증은 생물학적 기전뿐만 아니라 개인적, 사회적 배경도 이해해야 한다.

통증은 오래전부터 신경외과의 분야 중 하나이며 현재 신경외과 전문의는 통증치료를 위해 척추의 미세침습수술부터 중재술, 척수자극술 및 전통적인 개방수술까지 다양한 치료를 수행하고 있다. 통증의 치료분야는 끊임없이 변화하고 발전하는 중이며 환자는 포괄적인 치료를 의사에게 요구하고 있다. 또한 최근 비수술적 치료 및 미세침습수술의 요구도 역시 증가하고 있다. 따라서 사회와 환자가 요구하는 통증치료를 수행하기 위해서는 신경외과 전문의들이 적극적으로 통증치료에 나서고 통증에 대한 연구를 촉진해야 할 것이다.

김문간

당신이 가지고 있는 자동차의 앞바퀴가 심한 이상 마모가 있다면 타이어를 교체하기 위해 카센터를 가야 할 것이다. 만약 카센터에서 타이어만 교체하고 나온다면 당신은 운전할 자격이 없다고 말할 수 있다. 앞바퀴는 toe-in과 camber각이 있어 주행 시 안정성을 제공하는데 이 각이 틀어지면 이상 마모가 발생하므로 타이어 교체 후 wheel-alignment는 필수로 교정되어야만 한다.

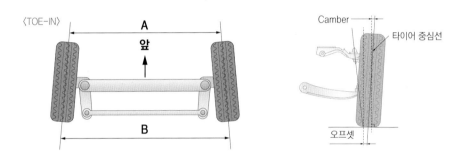

인체도 같은 원리가 적용되는데 척추수술 후에는 재활과정에 alignment에 대한 고려가 있어야 한다. 척추의 stabilizing system은 다음과 같이 3 group으로 나뉘어 있다.

1. Spinal column: passive control system or intrinsic stability

구성: disk, ligament, facets

2. Spinal muscle: active control system or dynamic stability

구성:
  1) Global muscle: large torque muscle로서 rectus abdominus, oblique abdominis externus, iliocostalis thoracis이며 general trunk stabilization에 관여.
  2) Segmental muscle: segmental stability에 관여하며 multifidus, psoas major, quadratus lumborum, iliocostalis lumborum, transverse abdominis.

3. Neural control unit

Spinal column의 intervertebral disc, facet, ligaments에는 mechanoreceptor가 존재하며 각각의 부위에 부과된 load의 변화를 감지하고 neural control system으로 신호를 전달한다. Neural system은 paravertebral muscle을 activation시켜 spinal column의 형태의 변화를 유도하는데 global muscle (erector spinae muscle)은 척추의 전반적인 curve를 조절하고 segmental muscle (multifidus, rotator muscle)은 2~4개 segment를 stiff하게 만들어 전반적인 stability를 구축한다. 그러나 trauma에 의한 인대손상이나 previous discectomy는 mechanoreceptor의 기능을 떨어뜨려 paravertebral muscle의 activation이 delayed되게 하며 이런 상황이 지속될 경우 spinal column에 과부하가 발생하게 된다. 이어 가장 약한 disc의 degeneration 그리고 height 감소가 나타나고 이에 따른 inter & supraspinous ligament가 느슨해지고 결과적으로 facet joint의 motion이 증가하게 되어 facet degeneration이 발생하는데, facet joint에는 mechanoreceptor뿐 아니라 nociceptive neuromodulator가 많이 분포되어 spinal pain을 일으키게 된다.

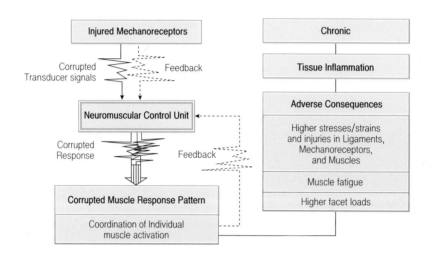

이번엔 active control system의 기능이상으로, 이는 허리에 원인이 있지 않은 경우가 대부분이다. "The site of pain is often not the cause of the pain."이란 유명한 문장처럼 만성통증의 원인은 아픈 곳에 있지 않은 경우가 많다.

개원가에서 만나게 되는 요통의 대부분이 이런 원인에서 기인하며, 이는 족부의 이상과도 민첩한 관계가 있어 신경외과 의사가 접근하기 어려움이 있는 것은 사실이지만 만성요통을 극복하려면 꼭 넘어야 할 산으로 생각되어 간략하게 기술해 본다.

발의 이상은

1) 평발(flat foot)： rear foot varus deformity / fore foot varus deformity

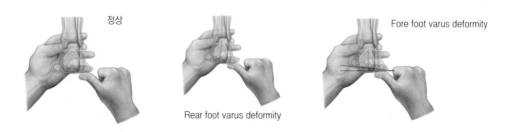

2) 첨족(high arched foot)

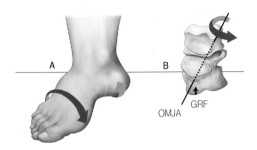

위와 같이 간단히 구분할 수 있으며 이는 non weight bearing 상태에서 발의 모양을 구분한 것으로 standing 시 모두 forefoot의 pronation이 발생하며 tibia, femur의 internal rotation과 pelvis의 anterior tilting을 일으키게 된다.

이는 iliopsoas muscle의 단축을 유발시키며 erector spinae muscle 단축 abdominal muscle 과 gluteal muscle의 약화를 일으켜 pelvis를 중심으로 iliopsoas, erector spinae의 단축과 abdominal muscle, gluteal muscle의 weakness 형태를 보이며 1980년 후반 V. Janda가 pelvic cross syndrome을 발표하였다.

즉, foot의 abnormality가 iliopsoas의 erector spinae의 단축을 일으켜 active control system 의 기능이상을 유발하고 spinal stability의 불균형을 초래하게 되며 결과적인 spinal column의 degenerative change를 유발한다는 것이다.

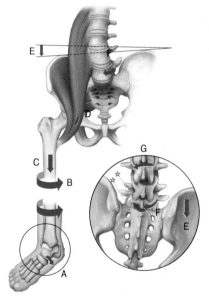

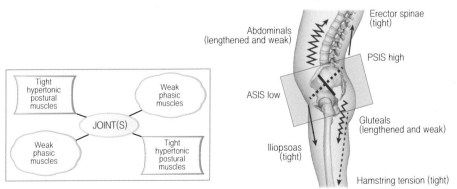

이외에도 아래 그림에서 보듯이

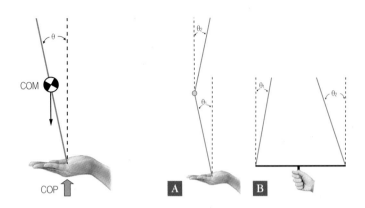

pelvis와 spinal column은 inverted pendulum이 pelvis에 놓여 있는 것과 같아 spinal column의 stability를 유지하기 위해서는 pelvis의 움직임이 중요하며 이는 gluteal muscle과 하지관절에서 의 proprioceptive pathway에 의해 이루어진다.

그러나 flat foot이나 high arched foot에서는 만성적으로 ankle joint나 knee joint의 퇴행성 변화 가 일어나 joint capsule 내의 proprioceptive afferent의 기능이상이 발생하고, gluteal muscle의 약화가 동반되어 결과적으로, pelvis의 부적절한 motion은 spinal instability를 일으키게 된다.

결론적으로 spine stability는 아래 그림에서와 같이 3개의 subsystem의 조화에 의해서 이루어지 며 이들 중 하나가 무너지면 end result는 spinal column에 degenerative change를 유발하고 종 국에는 chronic pain을 일으키는 서로 맞물리는 기전을 갖게 되는 것이다.

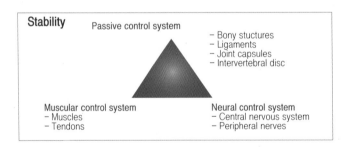

REFERENCES

1. Denk F, McMahon SB, Tracey I. Pain vulnerability: a neurobiological perspective. Nat Neurosci. 2014;17(2):192-200. doi:10.1038/nn.3628.

2. Adams MA, Burton K, Bogduk N. The Biomechanics of Back Pain. Elsevier Health Sciences; 2006.

3. Rawlings C, Rossitch E, Nashold BS. The history of neurosurgical procedures for the relief of pain. Surgical Neurology. 1992;38(6):454-463.

4. A AV, Robinson PJ. Low back pain. Pain Clinical Updates. 2007;18(6). doi:10.7326/0003-4819-147-7-200710020-00006.

02

척추통증에서의 투약치료

Medical treatment of spinal pain

허준석, 이장보

서론(Introduction)

약물요법은 다양한 통증의 관리에 있어서 일차적으로 시행할 수 있는 기본적이면서도 중요한 치료이다. 통증은 다양한 원인에 의해 발생할 수 있으며 중추신경계의 감작이나 사회적 혹은 정신적인 요인에 의해 쉽게 영향을 받기 때문에 이에 대해 적절한 약물치료를 시행해야할 필요가 있다. 적절한 약물치료를 통한 통증조절은 당장 환자의 급성통증에 대한 해결뿐 아니라, 추후 발생가능한 사회적 정신적인 문제나 수술 후 환자의 예후에까지 영향을 미칠 수 있기 때문에 면밀한 검토가 필요하다.

이에 본 장에서는 척추질환 환자에서 일반적으로 통증조절을 위해 사용되고 있는 비마약성 진통제 및 마약성 진통제들의 종류 및 사용법과 환자에 따라 신중한 투여가 요구되는 항우울제 및 항경련제 등에 대한 실제적 사용에 대하여 다루고자 한다.

Step 1 비마약성 진통제±부가 약물

Step 2 약한 마약성 진통제±부가 약물

Step 3 강한 마약성 진통제±부가 약물

*부가 약물:
아산화질소(N_2O), 가바펜틴계열의 항전간제,
케타민, 마그네슘, 리도카인, 클로니딘 등

Figure 1. WHO pain management stepladder 1986

척추에서의 급성 및 만성통증

Table 1. 급성통증과 만성통증의 비교

특징	급성통증	만성통증
원인	알 수 있다.	알 수 없는 경우가 많다.
통증 지속기간	짧다.	3개월 이상
치료의 접근방법	원인해결 시 해결된다. 대개 저절로 좋아진다.	통증에 대한 치료보다는 조절하는 방향으로 고려한다.

1. 급성통증

급성통증은 다양한 원인에 의해 발생한 조직의 손상으로 인하여 염증반응을 일으키는 화학물질들이 발생하여 이 화학물질들이 침해수용체(nociceptive receptor)를 자극함으로써 직접적인 통증을 일으키게 된다. 대표적인 침해수용체 자극 신경전달 물질로는 glutamate, substance P, calcitonin, gene-related peptide (GRP) 등이 있다. 또한 조직손상으로 인해 bradykinin, histamine, serotonin, prostaglandin, proteins S 등이 유리되며, 이는 통각 수용체를 자극 혹은 감작시키는 역할을 한다. 일반적으로 급성통증은 조직손상의 정도에 비례하는 통증 강도나 통증 지속기간 등을 가진다. 또한 기저의 문제가 해결되거나 조직이 스스로 치유된 뒤에는 통증이 사라진다.

2. 만성통증

만성통증은 정상적 치유과정을 겪은 후에도 통증이 지속 혹은 악화되는 상태를 말하며 이는 크게 4가지 기전을 통해 설명한다.

1) 말초성

급성통증에서 발생한 자극에 의하여 발생한 여러 통각 물질들에 과감작된 말초신경에 의해 발생하는 통증으로 substance P, neurokinin 및 galanin, somatostatin 등에 의해 신경인성 염증이 지속하게 되는 것 말한다. 과민화된 말초신경에 직접 약물을 투여 혹은 염증 발생 부위를 수술적으로 제거함으로써 통증조절을 시도할 수 있다.

2) 신경인성

체성감각 신경계(somatosensory)의 손상에 의해 발생하는 비정상적 통증으로, 정상적으로 나타날 수 있는 신경자극에 의한 통증반응이 일반적인 양상과는 다른 강한 통증으로 나타날 때 신경인성통증이라 한다. 말초성과 중추성으로 나눌 수 있으며 말초신경의 손상으로 인한 경우와 뇌와 척수손상에 의한 경우로 분류된다. 신경인성 만성통증은 뇌경색이나 뇌출혈 등의 뇌질환뿐만 아니라 척추관협착증 및 추간판탈출증 등의 질환으로도 발생할 수 있으며 특히 당뇨병이나 대상포진, 암성통증 같은 질환으로도 발생할 수 있음을 염두에 두어야 한다.

3) 중추신경계 손상

척수시상계(spinothalamic tract)의 손상으로 인한 신경손상 후 비정상적인 감각 출현 및 이후 수개월~수년 후 발현되는 통증양상을 말한다. 발생기전의 가설 중 하나로, 시상부위 기저핵에 신체감각지도가 존재하는데 손상된 신체감각지도는 통증제어의 기능이 재조정됨으로써 일반적으로는 느끼지 못하는 통증을 느끼게 된다고 설명한다.

4) 정신적, 환경적

만성통증 환자에서는 병리적인 기전뿐 아니라 개개인의 통증에 대한 특징 및 감정적, 정신적인 기전이 모두 작용하고 있으므로 약물치료 시 정신과적 치료의 병행이 필요할 수 있다.

일반적으로 통증에 대하여 기술할 때는 체성감각성 통증과 신경병증성 통증으로 나누어 설명하는 경우가 많다. 다만 본 책에서는 설명의 용이성을 위하여 체성감각성 통증은 급성통증으로, 신경병증성 통증은 만성통증이라는 포괄적 의미로 기술하도록 하겠다.

척추통증에서 쓰이는 진통제

1. 비마약성 진통제

1) 아세트아미노펜

가장 안전한 진통제로 알려져 있으며 척추통증에서도 단일제나 복합제로서 사용된다. 해열작용은 있으나 소염작용은 없다. 복용 후 1~2시간 내로 효과를 내는 것으로 알려져 있으며 간으로 대사된다. 중추신경계의 COX-3 저해작용으로 진통효과를 보인다.

- 사용 용량: 우리나라에서는 1회 500 ㎎ 1일 3회 투여가 일반적이다. 1일 3 g 가량의 투여는 NSAIDs와 효과가 비슷하다고 알려져 있어 유럽에서 650 ㎎으로 1일 4~6회 혹은 1,000 ㎎ 3회 투여 하였으나, 최근 간독성에 대한 우려로 고용량 사용은 제한적이다. 현재 유럽에서는 서방형 제제의 처방은 금지된 상태이다.
- 타약제 비교 장점: NSAIDs와 비교하여 위장관계 부작용을 거의 일으키지 않으며 신독성이 적은 약제이다. 또한 중독성이나 의존성 등을 보이지 않는다. 소아나 고령자에서도 비교적 안전한 투약이 용이하다. 다른 약제에 비하여 저렴하다.
- 사용 시 주의사항: 간장애 환자 및 알콜중독자에서는 사용하지 않는 것이 좋다. 1일 4 g 이상 장기간 투여환자에서 간장애 사례가 보고된다. 이에 간장애 환자에서 진통제로 부득이하게 사용할 때는 최대 1일 2 g을 넘지 않도록 한다. 아스피린 천식 환자에게는 투여하지 않는다. 하루 7.5 g 이상 복용한 중독자에게는 해독제인 N-아세틸 시스테인을 투여한다.

2) 비스테로이드성 진통제

프로스타글란딘(prostaglandin)은 염증반응을 일으키는 물질로 이로 인해 발생한 통증유발물질들(substance P, bradykinin 등)에 대한 통각 수용기의 역치를 낮추어 여러 가지 통증을 일으킨다. 프로스타글란딘은 아라키도닉산(arachidonic acid)와 씨클로옥시게나제(cyclooxygenase) 효소가 반응하여 발생하게 되는데, 비스테로이드성 진통제는 씨클로옥게나제-1 및 -2 (COX-1, COX-2)의 억제를 통하여 통증을 조절한다.

- 비선택적 COX 억제제: 일반적으로 진통을 위해 사용되는 NSAIDs의 용량은 항염증 작용을 위해 사용되는 용량보다 적다. 아스피린(aspirin)은 처음으로 합성된 NSAIDs로서 적은 용량에서는 COX-1만 선택적으로 억제하여 항혈소판제제로 사용되며 고용량에서는 진통제로 사용될 수 있다.
- 선택적 COX-2 억제제: COX-1의 위장관, 신장, 혈소판 등에서 방어적인 역할을 하는 프로스타글란딘 생성을 억제하지 않아 위장관계 부작용이 적으며 수술 전이나 수술 중에 중단할 필요가 없다. 또한 출혈경향이 적어 와파린 복용자에서 복용이 가능하다. 다만 신장

Table 2. 비스테로이드 진통제의 종류 및 특성

약품명	복용법	일반적 사용량(mg)	최대 사용량(mg/day)	작용시간 (hr)	독성
Salicylates					
Aspirin	구강	500 mg×3	5,000 mg	1~2	위장관, 신장
Diflunisal	구강	50 mg×2		1	위장관, 신장
Salsalate	구강	500 mg		2	위장관, 신장
Acetic acid derivatives					
Ibuprofen	구강/항문내/정주	400 mg×3	3,200 mg	1~2	위장관, 신장
Naproxen	구강	500 mg*×2~3	1,250 mg	3	위장관, 신장
Ketoprofen	구강/정주/근주	10 mg×3 (구강) 30~60 mg (주사)	40 mg (구강) 90 mg (주사제)	2	위장관, 신장
Enolic acid (Oxicam) Derivatives					
Sulindac	구강	150 mg×2	400 mg	2	위장관
Ketorolac	구강/정주/근주	10 mg×3 (PO) 15~30 mg (IV/IM)	구강 120 mg 주사제 40 mg		위장관, 신장
Diclofenac sodium	구강/정주	25 mg×3	150 mg	2~3	위장관, 신장
Diclofenac potassium	정주	25 mg×3	300 mg	1	위장관, 신장
Nabumetone	구강	500 mg		4	위장관, 신장
Fenamic acid derivatives					
Piroxicam	구강/정주	20 mg	20 mg	5	위장관, 신장
Meloxicam	구강	7.5 mg×2	15 mg	3	위장관, 신장
Selective COX-2 inhibitor (Coxibs)					
Celecoxib	구강	200 mg×2	400 mg	3	신장

애의 발생 위험도는 비선택적 약제와 비슷한 것으로 알려져 있다. 선택적 COX-2 억제제의 경우 COX-1이 오히려 과하게 발현함으로써 혈소판 응집이 생기는 부작용이 생길 수 있다하여 celecoxib을 제외하고는 모두 실질적으로 사용하고 있지는 않다. 다만 이로 인해 심장질환자나 뇌혈관장애가 있는 환자에는 피하는 것이 좋다.

3) 사용상 주의사항

퀴놀론계 항생제와 병용하지 않는다. 병용 시 퀴놀론이 GABA A 수용체의 결합을 약화시키는데 이를 NSAIDs가 가속하여 경련을 일으킬 가능성이 있음으로 주의한다. 비선택적 COX 억제제는 소화성 궤양 환자에게 사용할 때 주의를 요한다. 와파린과 병용하지 않는다. 이는 알부민과 와파린의 결합에 약제가 경쟁하여 유리와파린이 증가함으로써 항응고 작용이 증가될 위험이 있다. 신장애 환자에서는 신혈류 저하를 일으켜 급성 신부전을 일으킬 수 있으므로 이미 신장애가 있거나 탈수환자, ACE inhibitor를 복용 중인 자에서는 되도록 피하며, 부득이하게 사용할 때는 신기능을 정기적으로 검사하는 것이 좋다. Sulindac 제제(제품명: 크리돌, 임바론)는 다른 NSAIDs에 비하여 비교적 신장애가 적다. 마지막으로 아스피린 천식 환자에서 사용하지 않는다. 심장질환자 특히 CABG 등을 시행한 환자에서는 혈전반응이 발생할 수 있기에 celecoxib의 사용을 피하는 것이 좋다.

2. 마약성 진통제

마약성 진통제는 일반적으로 중추 및 말초의 아편양 수용체에서 반응하여 진통효과를 내게 된다. 중추신경계에서는 척수후각의 수용체에 작용함으로써 신경전달물질의 분비를 억제하게 되며 이를 통해 척수 상부로의 통증의 전달을 막는 역할을 한다. 뇌간에 작용하는 경우 뇌간-척수 억제 회로를 증가시킴과 동시에 유해자극 정보를 대뇌 전두엽으로 전달시키는 세포핵 역시 억제함으로써 작용한다. 말초신경계 수용체에서는 염증조직 안에는 아편유사제 수용제의 운반이 증가되어 있어 마약성 진통제가 작용함으로써 신경전달물질의 분비를 억제함으로써 작용한다. 상기 기전을 고려해 보았을 때 마약성 진통제는 침해성통증(nociceptive pain)에는 효과적으로 쓰일 수 있으나 만성신경병증(chronic neuropathic pain) 환자에서의 사용은 제한적임을 유추할 수 있다.

일반적으로 마약성 진통제는 통증조절을 위해서는 용량의 제한 없이 증량할 수 있는 것으로 알려져 있으며 이것이 마약중독을 의미하는 것은 아니다. 다만 mu-수용체에 작용하는 약제로 순수물이 아닌 합성된 촉진제-길항제(pentrazocine, nalbuphine, butorphanol) 혹은 부분 촉진제(buprenorphine)의 경우 천장효과(ceiling effect)가 있으므로 사용에 주의하여야 한다. 천장효과란 일정한 용량 이상에서는 양을 늘려도 효과가 늘어나지 않는 것을 말하여 우리가 대표적으로 쓰는 약제로는 codein(천장효과 용량: 700 ㎎/day)이 있다.

Table 3. 일반적 마약성 진통제의 모르핀과의 동일 용량 비율 표(모르핀 용량 대비 등가 용량)

마약성 진통제의 성분명	변환 지수
트라마돌(weak opioid)	0.1
코데인(weak opioid)	0.15
펜타닐 패치(strong opioid) (μg/h)	2.4
하이드로 코돈(strong opioid)	1
하이드로 몰폰(strong opioid)	4
모르핀(strong opioid)	1
옥시코돈(strong opioid)	1.5

1) 트라마돌(weak opioid)

트라마돌은 중추신경계에 작용하는 합성 아편작용제로서 세로토닌과 노에피네프린의 재흡수를 억제함으로써 진통효과를 보인다. 이에 항염증 작용은 없으며 프로스타글란딘과 상관관계가 없으므로 위장관, 신장, 혈소판 등에 부작용을 일으키지 않는다. 또한 다른 기타 마약성 진통제에 비하면 졸음과 변비의 부작용이 적다. 주의점으로는 간대사되어 신장으로 배설되므로 간장애, 신장애 환자에서의 사용에 주의를 요하며, 아세트아미노펜이나 NSAIDs와 비교하여 오심, 두통, 어지럼증을 호소하는 경우가 있다.

아세트아미노산 복합제로 약품 제제에 따라 서방형 세미 제제로 트라마돌 37.5 ㎎+아세트아미노펜 325 ㎎ 복합제(제품명: 울트라셋 세미ER, 시너젯 세미 ER, 하이코돈 세미 ER) 및 일반 서방형 제제로 트라마돌 75 ㎎+아세트아미노펜 650 ㎎ 복합 제제(제품명: 울트라셋 ER, 시너젯 ER, 하이코돈 ER)가 있다. 순응도를 높이기 위해 적은 용량의 약부터 시작하는 것이 좋으며 하루 최대 트라마돌 300 ㎎ 이하(세미제제는 8알/day 일반제제는 4알/day)로 복용하도록 한다. 우리나라에서는 서방형 제제로 대부분 출시되어 사용되기 때문에 약제를 가루로 내거나 잘라먹지 않도록 교육해야 갑작스러운 농도 증가로 인한 부작용을 예방할 수 있다.

2) 코데인(weak opioid)

복용 시 생체에서 10%가량이 모르핀으로 전환됨으로써 진통효과를 나타내는 것으로 알려져 있다. 코데인 100 ㎎ 복용 시 모르핀 10~15 ㎎과 동일한 효과를 낸다. 코데인 단독제의 경우 국내에는 20 ㎎ 제제가 주를 이루며, 이부프로펜 200 ㎎ 및 아세트아미노펜 250 ㎎ 코데인 10 ㎎ 복합제인 마이폴이 출시되어 있다. 위에서 상술했듯이 코데인은 천장효과가 있는 마약성 진통약물로 기타 다른 마약성 약제들과는 다르게 용량을 지속적으로 증량할 때 효과는 제한적일 수 있음으로 사용에 주의한다. 20 ㎎ 단독제제의 경우 최소 6시간 간격을 두고(하루 최대 4차례) 투여하도록 하며 하루 최대 12알까지만 복용한다. 복합제의 경우 최소 4시간 간격(하루 최대 6차례)으로 투여가 가능하며 마찬가지로 하루 최대 12알까지 복용한다.

3) 옥시코돈(strong opioid)

경구용 마약제제로서 즉시형(IR: immediate release)과 서방형(ER, CR 등: delayed release)으

로 나뉘어 널리 사용된다. 천장효과가 없는 마약성 약제로서 비암성통증의 치료에서는 독성을 보이지 않는 최대 농도까지 통증조절을 위해 사용될 수 있다. 이전 마약성 진통제를 사용한 과거력이 없는 경우에는 10 ㎎ 하루 2차례로 복약을 시작하는 것이 추천되며, 이전 사용되던 비마약성 혹은 마약성 진통제의 사용 여부에 따라 통증조절을 위한 적절한 증량이 요구된다. 초기 약물의 증량 시에는 12시간 간격으로 10 ㎎에서 20 ㎎으로 증량한다. 이후 복용간격은 12시간으로 정해 놓은 상태에서 24시간 동안 최소한의 통증으로 조절되는 시점까지 12시간마다 25~50%가량 증량하는 것이 비교적 안전하다. 펜타닐 패치를 사용하는 환자에서 옥시코돈으로의 전환은 패치를 제거하고 18시간이 지난 시점에서 시행하는 것이 좋으며, 펜타닐 패치 25 ㎍/h에 대하여 옥시코돈 10 ㎎ 하루 두 번 복용에 대응하는 것이 일반적이다. 속효성 옥시코돈(IR)의 경우 지속성 제제를 12시간 간격으로 복용 중 통증조절이 힘든 시점에서 사용하면 도움이 된다. 통증조절 후 옥시코돈을 중단할 때는 처음 2일간은 최대용량의 절반으로 사용하며 이후 시작용량인 10 ㎎ 하루 2차례로 줄일 때까지 2일마다 25%씩 감량한다. 옥시코돈 날록손 복합제의(타진 옥시코돈 2 : 날록손 1의 비율 복합제) 경우 아편양 길항제인 날록손이 위장관계에 옥시코돈보다 1,000배 이상 빠르게 작용하여 변비 등의 부작용이 적은 것으로 알려져 있으나 오히려 설사의 부작용이 있을 수 있다.

4) 펜타닐(strong opioid)

피부에 붙이는 제제(transdermal patch)와 주사제제(IM/IV)가 있다. 척추통증 환자에서는 주로 패치가 사용되며 이 경우 가슴이나 팔에 부착하되 광선조사가 되지 않는 부위에 부착한다. 태양열 조사뿐 아니라 패치 부착부위 온도가 올라갈 수 있는 환경들에 주의하여야 하는데, 이는 부착부위 온도가 높아지면 흡수율이 높아져 혈액내 펜타닐 농도를 올리는 데 영향을 주기 때문이다. 정신증상이나 변비 등의 부작용이 비교적 적으며, 제토제나 완화제의 예방적 사용이 필요하지는 않다는 장점이 있다. 또한 신부전 환자에서도 사용이 용이하다. 초기 용량으로 12 ㎍/h를 사용할 수 있으며 부착 후 24시간까지 농도가 증가하며 72시간가량 효과가 지속되므로 통증평가는 24시간 후, 약용량 조절은 72시간 후에 시행하는 것이 안전하다. 초기용량으로는 25 ㎍/h를 초과하지 않는 것이 좋으며, 특히 마약성 진통제의 사용이 없었던 환자에서 50 ㎍/h로 투여를 시작했을 경우 호흡기능부전으로 인한 부작용이 나타날 수 있기에 주의한다.

5) 모르핀(strong opioid)

마약성 진통제의 기준이 되는 약제로 경구 제제 및 주사 제제 등으로 다양한 경로를 통한 통증조절이 가능하다는 장점이 있다. 속효성 제제의 경우 다른 마약성 진통제에 비하여 발현시간이 빠르고(~10분) 작용시간이 4시간가량으로 짧아 척추통증 환자에서는 급성통증 조절을 위해 사용될 수 있다. 신부전 환자에서는 주의를 요하며 중추신경계 저하효과에 의하여 호흡저하 소견을 보일 수 있으므로 호흡기 환자나 이전 중추신경 용제를 복용 중인 자에게는 처방을 피한다. 구역질환 변비에 대한 대비가 필요하여 투약 시작과 동시에 배변완화제와 구토억제제 등을 투여하는 것이 적절할 수 있다.

척추통증에서 쓰이는 비진통약제

1. 항우울제

항우울제의 진통효과는 세로토닌과 노에피네프린의 신경접합부 농도를 증가시켜 척수 후각에서 하향성 통증 전달을 억제하게 된다. 동시에 높아진 세로토닌, 노에피네프린 농도는 간접적으로 아편양 수용체의 활성도도 높이는 역할을 함으로써 통증조절에 관여한다. 동시에 우울감의 조절이 동시에 이루어짐으로써 근긴장의 완화, 호전되는 식욕을 통한 영양보충, 수면의 질 개선이 동반되게 된다. 상기와 같은 직접적 통증조절 효과 및 간접적 효과를 통하여 항우울제는 신경병성 통증(neuropathic pain)에 널리 사용되고 있다. 항우울제를 통한 진통효과는 일반적으로 수 주 이상의 투여가 필요하다. 최소 2주 이상의 시간이 필요함을 환자들에게 알리고 효과에 따라 2주가량의 간격으로 증량하는 것이 좋다. 진정작용을 통한 졸음이 부작용으로 알려져 있으나 신경병증성 척추통증 혹은 만성 척추통증 환자들은 수면장애를 겪는 경우가 많으므로 저녁 혹은 취침 전 복용하는 진통제로 병용 시 긍정적인 효과를 볼 수 있다.

삼환계 항우울제(tricyclic antidepressant, TCA)는 노에피네프린 및 항콜린 효과를 동시에 가지기 때문에 심계항진, 요저류나 노인환자에서의 의식변화 등을 일으킬 수 있음으로 주의한다. 특히 심질환자에서의 사용에는 약의 용량을 최소한으로 유지하고, Q-T interval의 연장이 있을 경우 다른 기전을 가진 항우울제로의 변경함으로써 심정지를 비롯한 심장 관련 부작용을 줄일 수 있다. 항우울작용과 통증조절은 독립적인 것으로 알려져 있으며 만성요통에서 다른 항우울제 중 효과는 가장 좋은 것으로 알려져 있다.

세로토닌 및 노에피네프린 재흡수억제제(serotonin and norepinephrine reuptake inhibitor, SNRI) 듀로세틴(duloxetine)과 벤라파신(venlafaxine)이 주로 사용된다. SNRI 제제는 TCA와 비교하여 항콜린성 작용이 빠진 것으로 졸음, 오심, 입마름, 어지럼증 등이 동반될 수 있다. 듀로세틴은 심전도의 변화를 일으키는 경우가 적으므로 심질환자에서 사용이 용이하다. 30 ㎎ 하루 두 번 복용이 일반적이며 오심 등의 부작용이 없다면 60 ㎎으로 증량 가능하다. 벤라파신은 심전도의 변화를 일으키는 경우가 있어 심질환자에서는 신중한 투여가 요구된다.

선택적 세로토닌 재흡수 억제제(selective serotonin reuptake inhibitor, SSRI)는 노에피네프린 및 항콜린작용이 없으므로 부작용이 적은 편이나 위 두 약제에 비하여 만성요통에의 통증조절 효과는 불명확하다.

2. 항전간제

가바펜틴(gabapentin)은 전압-작동 칼슘통로에 결합하여 흥분성 신경전달물질의 전달을 억제함으로써 통증조절에 작용하는 것으로 알려져 있다. 일반적으로 만성통증 환자에서의 목표량은 900 ㎎/day이지만 졸음, 어지러움, 전신무력감 등이 있을 수 있으므로 첫날 100 ㎎ 하루 3회, 둘째 날 200 ㎎ 하루 3회, 셋째 날 300 ㎎ 하루 3회으로 서서히 증량하는 것이 좋다. 환자의 체중이 적거나 노인의 경우 하루에 100 ㎎ 정도 변화를 주는 것이 좋다(100 ㎎ 하루 3회 → 200 ㎎ 하루 2회). 약물은 신장으로 배설되므로 신장애 환자에서 사용 시 주의를 요하며 개개인에 따라 효과가 일정하지 않다는 단점이 있다. 특히, 혈액투석을 시행하는 환자에서는 초회 300~400 ㎎ 이후 유지 용량으로 투석 후 200 ㎎ 정도를 처방하는 것이 비교적 안전하다. 만성통증 환자의 사용에 있어서 하루 최대용량은 3,600 ㎎/day이며, 고용량 복용 중 약물을 갑자기 중단하면 부작용에 의한 경련(rebound phenomenon)이 있을 수 있으므로 주의를 요한다. 척추통증 환자에서의 보험적용의 예시는 척수손상에 의한 경우 및 척추수술후 증후군에서의 사용이다. 기타 만성요통에는 우리나라 보험기준에서 보험 약가가 적용되지 않는다.

프레가발린(pregabalin)은 가바펜틴과 더불어 만성 요추통증에서 쓰이는 가장 흔한 항전간제이다. 가바펜틴보다 훨씬 안정적인 약동학을 가지고 있어 복약 순응도가 높으며 효과가 빠르다. 보험기준으로는 척수손상 환자 및 척추수술후 증후군 환자에서 해당한다. 다만 가바펜틴과는 다르게 섬유근통의 경우에도 급여가 인정되는데, 섬유근육통으로 확진되고 삼환계 항우울제 또는 허가사항 중 근골격계 질환에 수반하는 동통의 증상완화에 사용할 수 있는 근이완제를 적어도 한 달 이상 사용한 후에도 효과가 불충분한 경우에는 보험 인정이 가능하며 및 듀로세틴(duloxetine)과의 병용투여는 인정되지 않는다. 하루 150 ㎎ 복용(75 ㎎ 하루 2회)이 일반적이며 하루 최대 600 ㎎/day까지 증량 가능하다.

라모트리진(lamotrigine)은 위의 두 가지 항경련제에 비하여 척추통증 환자에서 흔하게 사용되는 약제는 아니지만 위의 칼슘채널에 작용하는 두 약제와는 다르게 나트륨채널 및 글루타메이트(glutamate)의 시냅스 분비를 억제함으로써 통증을 조절하기 때문에 두 약제의 사용으로도 조절되지 않는 환자에서 사용을 시도해 볼 수 있다. 피부발진이 있을 경우에는 stevens-johnson syndrome를 염두에 두고 주의한다. 일반적으로 25 ㎎ 하루 1회 2주 복용을 이후 50 ㎎ 하루 1회 2주 복용으로 유지하여 복약 순응도나 어지럼증, 복시, 구토 등의 부작용을 확인한 후 50 ㎎ 하루 2회 혹은 100 ㎎ 하루 2회로 증량 및 유지하면서 사용한다.

3. 항불안제

벤조다이아제핀은 중추신경계 억제 및 GABA 활동성 증가를 통해 작용하는 약제로 비암성통증 환자에서 빠른 작용시간 및 복용의 편의성을 장점으로 하여 많이 사용된다. 하지만 상기 계열 약물의 경우 통증조절에 대한 임상적 증거가 미약하며 심한 진정작용, 인지 정신적 장애, 의존성 및 남용의 가능성으로 인하여 투약에 주의를 요한다. 특히 만성통증 환자에서 마약성 진통제를 복용하는 환자에서의 중복 투약이 많은 편인데 미국에서는 20~50%까지 두 가지 약물이 같이 투여되고 있다고 하며 이로 인한 부작용이 심각하게 나타나고 있다. 간대사되는 약물로서 간질 환자나 노인 환자에서 반복적인 장기 투약은 피해야 하며, 중독 및 의존성향이 일단 생기면 조절하는 것은 더 큰 노력이 필요하므로 만성통증 환자에서 불안이나 불면 등을 호소하는 경우 1~2주 정도의 단기적 사용이 추천되며, 특히 우울감 등을 호소하는 경우 SNRI나 SSRI 등의 항우울제로의 조절이 충분치 않을 경우에만 병용하기를 추천한다. 일반적으로 척추통증 환자에서 병용 시에는 간대사가 비교적 적은 약물인 로라제팜, 알프라졸람, 옥사제팜 등이 사용된다.

4. 근이완제

통증에 대한 반응으로 운동신경의 활성도가 증가되면 근육 경직 및 연축이 일어나고 이는 통증을 더욱 증가시킬 수 있다. 근이완제는 골격근과 혈관 평활근의 긴장을 낮추는 동시에 혈액순환을 개선시켜 통증을 조절하는 것으로 생각되어 통상적으로 사용되어 왔다. 최근의 연구에 따르면 근이완제가 근육에 직접 작용함으로써 통증을 조절하기보다는 중추신경계에 작용하여 졸음, 진정, 구갈 등의 부작용을 유발하는 경향을 보여 임상적인 유효성에 대해서는 연구 중이다. 척추통증 환자에서 널리 사용되고 있는 대표적인 약제로 에페리손(eperisone) 제제가 있으며 기타 근이완제제에 비하여 부작용이 적으며 효과는 동일한 양상을 보여 널리 사용되고 있다. 에페리손은 voltage-gated calcium channel에 영향을 미쳐 연접시냅스에서 신경전달물질이 분비를 막는 역할을 하며, 척추부위 근육의 혈류를 개선함으로써 산소공급을 원활하게 하여 통증조절을 한다고 알려져 있다. 우리나라에서는 다른 진통제와 함께 50 ㎎ 하루 3회를 사용하는 것이 일반적이며, 단독 투여의 경우 연구에 따라서는 50 ㎎ 3회 복용보다 100 ㎎ 3회 복용이 효과적이라는 연구도 보고되고 있다.

REFERENCES

1. Deborah Dowell, Tamara M. Haegerich, Roger Chou. CDC Guideline for Prescribing Opioids for Chronic Pain-United States, 2016. JAMA. 2016
2. Edward W. Boyer. Management of Opioid Analgesic Overdose N Engl J Med 2012
3. Kiran K Koneti, Martin Jones. Management of acute pain. Surgery 34-2
4. Australia and New Zealand College of Anaesthetists and Faculty of Pain Medicine. Acute pain management: scientific evidence.3rd edn. 2010
5. White P, Kehlet H. Improving post-operative pain management.Anesthesiology 2010
6. Cousins MJ, Brennan F, Carr DB. Pain relief: a universal human right. Pain 2004
7. Nahin RL. Estimates of pain prevalence and severity in adults: United States, 2012. J Pain. 2015
8. Maurits W. van Tulder, Tony Touray, Andrea D. Furlan. Muscle Relaxants for Nonspecific Low Back Pain: A Systematic Review Within the Framework of the Cochrane ollaboration. SPINE 2003
9. Aoki KR. Review of a proposed mechanism for the aminoceptive action of botulism toxin type A. Neurotoxicology, 2005
10. Frandisco colomer rusinyol, Ramon viladot peerice. Effect of two different doses of eperiosone in the treatment of acute low back pain.The journal of applied research 2009.
11. Cherkin DC, Wheeler KJ, Barlow W, et al. Medication use for low back pain in primary care. Spine 1998
12. Jackson, MD, Ryan DM. Drugs of importance in rehabilitation. In: Rehabilitation Medicine: Principles and Practice. DeLisa JA, ed. Philadelphia, PA: J.B. Lippincott; 1993
13. Pratzel HG, Alken R-G, Ramm S. Efficacy and tolerance of repeated oral doses of tolperisone hydrochloride in the treatment of painful reflex muscle spasm: results of a prospective placebo-controlled double-blind trial. Pain 1996
14. Reisfield, AstraZeneca, Boehringer, Benzodiazepines in Long-Term Opioid Therapy, Pain Medicine 2013
15. 대한척추신경외과학회, 척추학, 군자출판사
16. 후쿠이 츠구야, 약처방의 달인되기, 대한의학서적
17. 최용성, 박용민, 나영호, 최선희, 항히스타민제의 올바른 사용법, 대한의사협회지 2013

기능의학 및 영양의학적인 관점에서 본 만성 척추통증의 치료 및 관리

Functional and nutritional aspects of spinal pain

최세환, 강원봉

서론

척추통증의 원인은 매우 다양하다. 방사선학적 검사나 근전도 검사상에서 경미한 소견만 있거나 뚜렷한 이상이 보이지 않는 경우도 흔하게 있다. 환자는 약물치료나 중재적 치료에도 호전되지 않고 지속적으로 통증을 호소하는 경우를 자주 경험하게 된다. 또한 검사상에 병변은 있으나 신경학적 검사소견과 환자의 증상이 일치하지 않을 때도 종종 있다. 이런 경우에는 증상의 개선을 위하여 진통소염제나 근이완제를 투여하지만 약물치료에도 반응하지 않고 만성적으로 통증을 호소하게 되면, 항우울제나 신경안정제 같은 약물을 처방할 수밖에 없게 된다. 더욱더 나아가 최근에는 마약성 진통제를 투여하는 경우도 많아지고 있다. 때로는 복합부위통증증후군(complex regional pain syndrome, CRPS)으로 진단하고 항경련제로 개발된 약 중에서 통증에 도움이 되는 약물을 처방해야 하는데, 불행하게도 최근에는 이러한 처방이 증가 추세에 있다. 급성통증은 대부분의 경우에 충분한 휴식과 안정을 취하거나 적절한 진통소염제를 투여하면 호전이 잘된다. 하지만 만성통증은 앞에 나열한 치료법만으로는 만족스럽게 호전되지 않고 오랜 시간 동안 증상의 재발이 반복되거나 악화되면서 우울증, 불면증과 같은 다른 신체증상이 동반되는 경우가 많아지고 있다.

급성통증이 국소적인 질환이라고 한다면, 만성통증은 전신질환이라고 생각하여 평가하고 관리해야 한다. 또한 장기간 진통소염제 같은 약물을 투여하게 되면 속쓰림이나 소화불량 같은 위장관 증상을 호소하기 때문에 제산제, H2 차단제나 위산 생성을 강력히 억제하는 프로톤펌프억제제(proton pump inhibitor, PPI) 같은 약물을 장기간 처방하여야 하는 경우가 많다. 그 결과 위산의 저하(hypochlorhydria)가 발생되어 약물의 흡수가 방해될 뿐 아니라, 이온으로 해리(ionized)되어야 흡수되는 여러 가지 미량의 미네랄(trace mineral)들이 이온 상태로 해리되지 못하여 흡수가 잘 안되기 때문에 결과적으로 미량영양소(micronutrients)가 만성적으로 부족한 상태가 된다. 미량 미네랄들은 생체 반응에 필요한 여러 효소들의 작용에서 조효소(cofactors, coenzyme) 역할을 하는데 이것이 부족하게 되면 여러 가지 신경전달물질의 합성과 대사에 필요한 효소의 기능을 떨어뜨릴 수 있다.

뿐만 아니라, 2006년 Gislason의 연구 결과를 보면 흔히 사용하는 진통소염제(NSAIDs)를 1주에서 5년까지 지속적으로 투여받은 사람에서 심근경색에 의한 사망률이 증가하였다는 것을 보고하였다. 특히 위염이나 위궤양의 합병증을 감소시키기 위하여 COX-2 억제제를 사용한 경우에는 더 증가한다고 보고하였다. 이러한 약 중에서 디클로페낙(diclofenac) 제제는 치명적일 수 있어서 캐나다 보건국에서는 하루에 사용할 수 있는 용량을 150 ㎎에서 100 ㎎으로 줄이라고 권고하였다. 만성통증 환자들은 통증으로 고통받을 뿐만 아니라 무기력하고, 편안한 수면을 취하지 못하고 자주 우울하며, 의욕도 없고 자율신경 기능에 이상이 오고 운동할 힘도 없다고 호소하는 경우가 많다. 이러한 통증 때문에 약물투여를 계속하게 되고 그 결과 투여된 약의 대사를 위하여 영양소의 소모량이 많아지며, 영양소의 부족은 치유능력을 감소시키고 또한, 통증의 원인이 되는 염증을 일으키는 물질의 분비가 지속되어 악순환의 고리가 끊임없이 염증이 반복되어 만성통증이 지속되게 된다(Figure 1).

Figure 1. 만성 염증과 통증의 악순환의 고리

기능의학이란 무엇인가?

우리 인체는 뇌, 심장, 간, 폐, 위장관 등이 따로 존재하는 것 같지만 실제로는 각각의 장기들이 긴밀하게 연관성을 가지고 상호보완을 해가면서 건강을 유지하고 있다. 정상적인 생활사는 정자와 난자가 만나서 하나의 생명체를 탄생시키는 수태의 과정부터 출산 후 성장과 성숙이 되면서 성인이 되고 30대 이후부터는 노화의 과정을 겪으면서 여러 가지 질병에 시달리다가 죽음에 이르는 것이 생물학적인 면에서 본 인간의 생활사라고 할 수 있다.

동양의학에서는, 모든 장기들 간의 상호관계의 이상이 질병을 일으킨다고 보고 먹는 것부터 매우 중요시하였던 것이 사실이다. 우리나라도 구한말까지는 평균 수명이 48세 정도까지밖에 안 되었기 때문에 요즈음 흔한 고혈압, 당뇨병, 치매 및 암 같은 병은 그리 많지 않았고 주로 전염병이 사망의 주원인이 되었다.

서양에서는 산업혁명 이후 생산성이 증대되면서 건강학적인 면에서만 본다면 먹거리가 풍부해지고 육체노동의 비율보다는 정신적 스트레스를 받는 사무직 업무가 많이 늘었다. 진통제와 항생제를 합성하는 기술이 생기면서 제약산업이 급격히 발달하고 어마어마한 규모로 커지기 시작하였다. 사회가 복잡해지고 육체적인 노동이 줄면서 비만인구의 증가와 정신적 스트레스에 의한 질환이 지속적으로 증가되어, 결과적으로 고혈압, 당뇨병, 암 및 치매의 비율이 젊은 나이부터 시작되는 사회문제를 유발하고 있다. 특히 소아비만 환자는 더욱 급격히 증가되고 있다. 뿐만 아니라 인간이 만든 환경오염물질(살충제, 각종 석유화합물, 중금속 등)이 인간의 건강을 더욱 위협하고 있다.

그래서 최근 20여 년 전부터 미국과 유럽에서 이런 질환의 근본 원인에 대한 고민을 했던 의료 관계자들이 이런 질병의 원인에 대해 재해석을 하기 시작하였다. 과거에는 응급수술이 필요하거나 항생제 등을 사용하지 않으면 사망에 이르는 병 때문에 인간이 생명의 위협을 받았으나 최근 50년간의 의학통계를 보면 항생제, 예방접종 및 의료 기술의 향상 등으로 급성감염병 같은 급성 질환은 서서히 그 비율이 감소하여 전체 질병의 20%밖에 되지 않고 나머지 80%는 고혈압, 당뇨병, 관절염, 치매 및 암 같은 만성병이 차지하게 됨으로써 의학 교육과 정책도 바뀌어야 한다고 여러 학자들이 주장하고 있다.

지난 수십 년간의 과학과 생명공학의 눈부신 발전으로 실험실이나 연구 논문에서나 가능했던 많은 생화학적인 검사들이 현재는 직접 임상적으로 적용할 수 있게 되었다. 그 결과 합병증을 감수하면서 증상을 억제하는 약물을 장기간 투여하는 것보다는 근본적인 원인을 찾아서 치료할 수 있는 방법이 개발되고 있다. 이러한 광범위한 영역을 적절히 한두 단어로 설명할 수 없는 한계점으로 인해 기능의학이라고 명명했지만 다른 말로 보완한다면 21세기 의학, 기초와 임상을 연결한다고 해서 이행의학(transitional medicine), 임상 후생유전학(clinical epigenetics), 생활 습관의학(life style medicine), 시스템 생물학(systems biology), 생화학 의학(biochemical medicine), P4 의학(예측하고, 개별화하고, 예방하며 환자가 치료에 참여하는 의미의 첫 글자; Predictive, Personalized, Preventive & Participatory), 중국에서는 공능의학(功能醫學) 등으로 설명하고 있는데 이들이 내포하고 있는 내용을 살펴보면 좀 더 이해하기 쉬울 것이다.

기능의학은 정상적인 생리기능을 방해하는 것을 제거해주고, 건강에 필요한 것을 적절하게 보충해주어 인체 스스로 치유능력을 회복할 수 있도록 생리적 균형을 이루도록 도와주는 데 있다. 완전한 것은 아니지만 그래서 기능의학에서는 인간의 질병은 7가지의 불균형(imbalance)이 조합이 되어 질병이 생긴다고 정리한다. 구조적 문제, 소화흡수 문제, 면역과 염증, 에너지 생성, 해독, 순환 및 신경전달 및 호르몬의 불균형을 포함하여 7가지로 원인을 나누어서 설명하는데, 이상의 7가지 불균형을 어떤 질환이 생기기 이전에 조절해줄 수 있다면 많은 만성질환을 예방할 수 있을 것이다(Figure 2).

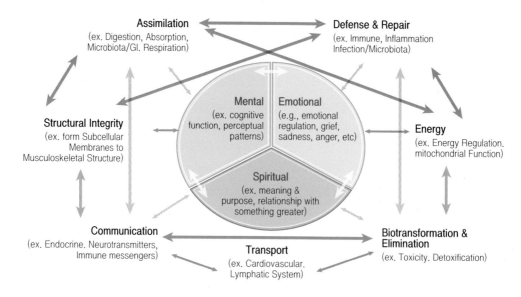

Figure 2. 기능의학 모체(The functional medicine matrix)

기능의학은 환자치료에 기초가 되는 생리학적 과정을 중요시하고 기능장애를 조장하거나 손상시키는 환경적 요소를 해결함으로써 기능이상 시스템의 균형을 회복시키는 데 중점을 둔 개별화된 환자치료에 대한 접근방식이다. 기능의학은 특정한 질병의 원인이 되는 유발인자(triggers)와 매개체(mediator)들을 면밀히 조사하는 것이 꼭 필요하다. 환자의 특정 유전적 특성과 환경적 요인이 원인이 연결되어 기능장애를 일으킬 수 있다. 환경의 영향은 정신-신경-내분비계에 대한 마음에 광범위한 영향을 미치며, 환경 독소의 영향을 받은 대사 경로는 필수영양소에 예민하게 반응할 수 있다. 기능의학은 환자의 질병의 원인을 임상 불균형 매트릭스가 거미줄처럼 서로 얽혀 있는 상태로 파악하고 이를 분석하여 치료하는 의학이다.

기능의학은 환자치료에 기초가 되는 생리학적 과정을 중요시하고 기능장애를 조장하거나 손상시키는 환경적 요소를 해결함으로써 기능이상 시스템의 균형을 회복시키는 데 중점을 둔 개별화된 환자치료에 대한 접근방식이다. 기능 의학은 특정한 질병의 원인이 되는 유발인자(triggers)와 매개체(mediator)들을 면밀히 조사하는 것이 꼭 필요하다. 환자의 특정 유전적 특성과 환경적 요인이 원인이 연결되어 기능장애를 일으킬 수 있다. 환경의 영향은 정신-신경-내분비계에 대한 마음에 광범위한 영향을 미치며, 환경 독소의 영향을 받은 대사경로는 필수영양소에 예민하게 반응할 수 있다. 기능의학은 환자의 질병의 원인을 임상 불균형 매트릭스가 거미줄처럼 서로 얽혀 있는 상태로 파악하고 이를 분석하여 치료하는 의학이다.

스트레스가 대사기능과 전신반응에 미치는 영향

만성통증은 구조적, 심리적, 유전적, 신경생물학적 혹은 환경요소 등이 원인이 될 수 있다. 지금까지 알려진 생리학적 기전은 도파민의 기능이상, 세로토닌 대사, 신경내분비의 이상, 교감신경의 과도한 반응 및 뇌척수액의 이상 등으로 인하여 올 수 있다. 최근에는 만성통증은 중추신경계와 말초신경계가 감작되어 통증을 유발하고 인지기능의 이상을 초래함으로써 증상을 나타내는 것으로 서술하고 있다. 이러한 사실로 볼 때 급성통증에서 사용하는 진통소염제는 부분적으로 통증의 개선에 도움이 되지만 완전하게 조절하지는 못한다. 스트레스를 받게 되면 뇌의 변연계에서 시상하부에 자극을 줌으로써 뇌하수체에 신호를 전달해서 부신피질자극호르몬(ACTH)을 분비해서 부신을 자극하게 된다. 그 결과 스트레스 호르몬인 코티솔이 혈액으로 방출되면 혈당이 증가된다. 올라간 혈당을 낮추기 위하여 췌장에서는 인슐린을 분비하게 된다. 그 결과 만성적인 스트레스는 근육의 양을 감소시키고 체지방을 증가시킴으로써 전반적인 인슐린 저항성을 증가시키고 대사증후군을 일으키거나 악화시킬 수 있다. 뿐만 아니라 위산의 분비를 증가시켜서 만성 위염과 위궤양을 일으킬 수 있고 만성적으로 코티솔이 증가되면 면역체계가 억제되어 감염병에서 잘 회복되지 못하거나 오랫동안 반복되고 지속되는 결과를 초래한다(Figure 3).

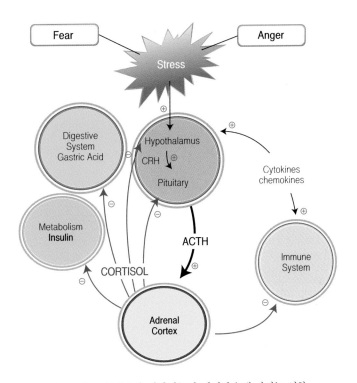

Figure 3. 스트레스가 대사기능과 전신반응에 미치는 영향
시상하부, 뇌하수체 및 부신이 스트레스에 반응하여 점진적으로 여러 장기에 영향을 준다. 뇌에서 스트레스가 감소했다는 것을 인지하게 되면 스트레스 신호가 감소하면서 전반적인 기능들이 기저상태로 돌아가게 된다.

이러한 것들을 종합해 볼 때 만성통증은 중추신경계, 신경내분비 및 면역체계가 양방향으로 서로 연결되어 상호작용을 하고 있다. 신경전달의 과정에서 필수 아미노산인 트립토판의 대사를 이해하는 것은 만성통증에서 매우 중요한 기전이다. 트립토판은 세로토닌의 전구물질인데 육체적이거나 정신적 스트레스나 염증반응이 일어나면 킨뉴레닌 경로(kynurenine pathway)로 옮겨감으로써 세로토닌의 합성은 감소된다. 고갈되거나 감소된 nicotinamide adenine dinucleotide (NAD)를 보충해 주면 만성통증이 개선되는 경우가 많이 있다. 만성피로증후군이나 섬유근육통 환자들은 트립토판-킨뉴레닌 경로에 이상이 생기는 경우가 많아서 신경면역학적 후유증이 잘 동반된다(Figure 4).

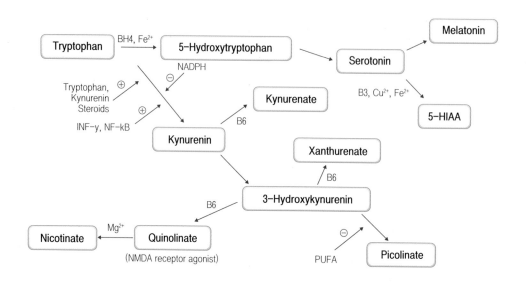

Figure 4. 킨뉴레닌 경로(kynurenine pathway)

Entry of tryptophan into the kynurenin pathway is governed by tryptophan-2, 3-dioxygenase that is subject to regulation by tryptophan, NADPH, kynurenin and steroid hormones. When all enzymes are properly formed and cofactor status is good, the pathway leads to either quinolinate or nicotinate, depending on tissue location. The critical point for vitamin B6 functional assessment is the pyridoxal-5-phosphate requiring kynurenase step. Cofactor insufficiency to sustain this enzyme activity causes diversion of 3-hydroxykynurenin to alternative pathways leading to production of xanthurenate and kynurenate. Omega-3 polyunsaturated fatty acids suppress transcription of ACMSD, decreasing picolinate production.

최근의 연구에 따르면 만성통증은 유전적, 생체아민(biogenic amine), 신경전달물질, 시상하부-뇌하수체-부신 축(HPA axis)에 관여되는 호르몬, 산화스트레스 등이 통증의 전달과 중추신경계 감작 및 자율신경기능의 조절에 관여하여 통증의 강약을 조절하는 것으로 알려져 있다.

산화스트레스와 산화질소가 만성통증의 기전을 설명하는 데 있어서 중요한 요점이 된다. 향후에 이러한 기전을 설명함에 있어서 항산화 치료(오메가-3, 오메가-6, 비타민, 미네랄 등)의 효과에 대하여 장기적인 이중 맹검의 방법으로의 연구가 필요할 것으로 사료된다(Figure 5).

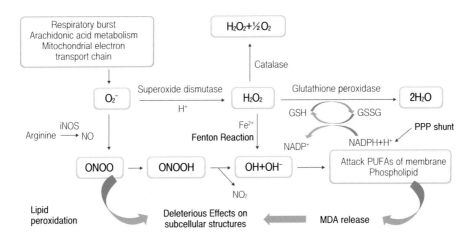

Figure 5. 활성 산화와 항산화 효소 및 지질의 과산화 과정에 대한 모식도

OH, hydroxyl radical (the most potent free radical); $O_2 \cdot -$, superoxide anion radical; $O_2 \cdot$, molecular oxygen; OH^-, hydroxyl ion; $ONOO^-$, peroxynitrite; CAT, catalase; Fe^{++}, ferrous iron; GSH, reduced glutathione; GSH-Px, glutathione reductase; GSH-Red, glutathione reductase; GSSG, oxidized glutathione; H^+, hydrogen ion; H_2O, water; H_2O_2, hydrogen peroxide; MDA, malondialdehyde (thiobarbituric acid reactive substance, an end-product of lipid peroxidation of membrane phospholipids); NO_2, nitrite; $NADP^+$, oxidized nicotinamide adenine dinucleotide phosphate; $NADPH \cdot H^+$, reduced nicotinamide adenine dinucleotide phosphate; PUFAs, polyunsaturated fatty acids; SOD, superoxide dismutase; tNOS, total nitric oxide synthases (neuronal NOS, endothelial NOS, and inducible NOS), NO, nitric oxide radical, XO xanthine oxidase.

최근의 또 다른 연구에서도 산화 스트레스가 만성통증의 발생기전에 중요한 역할을 한다고 보고하였다. 미토콘드리아는 세포내에서 활성산소를 많이 만들어내는 세포내의 소기관이기 때문에 만성통증을 포함한 여러 가지 질병의 발병기전을 설명할 때 많이 언급된다. 이러한 결과를 종합해 볼 때 만성통증 환자에서 항산화를 투여하는 것이 미토콘드리아의 기능을 개선하는 데 도움을 줄 것이라고 예측할 수 있다. 그래서 미토콘드리아의 분열과 생성을 촉진하는 약물의 개발에 대한 연구가 많이 이루어지고 있다.

만성피로증후군과 섬유근육통의 발병 원인에 대한 것은 아직도 정확히 알지 못하고 있지만, 산화 스트레스에 의한 활성 산소의 증가가 원인이 될 수 있다고 여러 연구에서 보고되고 있다. 즉 활성산소의 과다에 의한 산화스트레스가 미토콘드리아의 기능이상을 초래하여 광범위한 만성통증을 유발한다는 뜻이다. 미토콘드리아의 이상이 만성피로증후군 환자의 백혈구와 섬유근육통 환자의 근육에서 발견되는데, 이러한 이상에 의하여 만성근육통이 일어날 수 있다고 한다. 뿐만 아니라 중추신경세포에서 미토콘드리아의 기능이상은 세포내에 에너지 공급이 부족해지면서 외부 자극에 대하여 신경세포의 감수성이 전반적으로 증가되어 광범위한 통증을 호소하게 된다. 그러므로 항산화제를 투여하여 증가된 산화스트레스를 감소시켜 주는 것이 만성통증 환자의 증상을 개선해 주는 데 중요한 역할을 할 것이라고 사료된다.

장 건강(Gut health)

기능의학적인 치료방법에서 가장 중요한 것 중의 하나는 위장관의 기능을 먼저 치료하고 개선하는 것이다. 간단히 정리하면 소화-흡수-배설의 기능이 잘 되어야 한다. 이러한 치료의 접근법에는 5R의 방법을 사용한다(Table 1).

Table 1. 위장관의 기능을 개선시키고 장 건강을 위하여 시행해야 할 5가지 방법(5R)

Remove(배제식이)	Pathogenic/xenobiotics, allergens ex. gluten, dairy, corn, sugar diet
Replace(보충하기)	소화효소와 위산(example; betaine HCl)
Reinoculate(다시 넣어줌)	유익균: bifidobacteria, lactobacilli Prebiotics: fructo-oligosaccharide (FOS), inulin
Repair(치유하기)	저자극성 식이 성장과 수선에 도움을 주는 영양소 예: 글루타민/감초/플라보노이드/느릅나무 속껍질
Rebalance(균형 맞추기)	생활습관 교정 - 수면, 운동, 스트레스 줄이기 등이 장 건강에 영향을 줄 수 있다. (건강한 식이, 규칙적인 운동 및 스트레스 관리)

담배를 절대 피우지 않거나 금연해야 하는 이유

흡연과 추간판디스크의 퇴행의 변화 사이에는 서로 상당한 연관성이 있다는 많은 임상적이고 역학적인 연구결과들이 보고되고 있다(Figure 6).

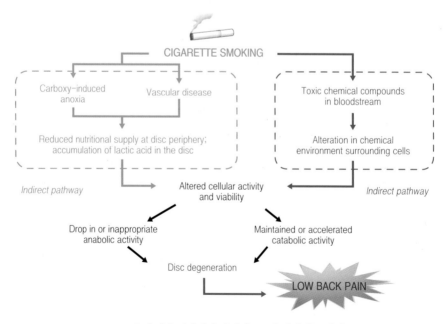

Figure 6. 흡연에 의하여 추간판디스크가 퇴행되는 기전

여러 실험의 결과를 종합해 보면 흡연에 노출되면 영양의 공급이 감소되고 조직학적이나 형태학적인 변화를 초래하고 세포의 활성도와 추간판의 연골세포의 생존능력에 변화를 초래한다 (Figure 7).

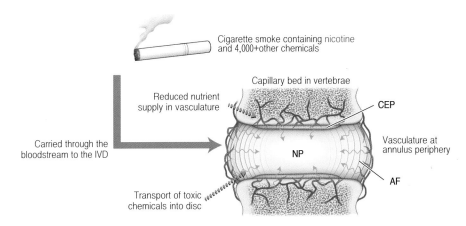

Figure 7. 추간판의 주된 3가지 구조물인 섬유륜, 수액 및 연골종판의 도식적인 모양과 흡연에 의해 유발되는 추간판 퇴행의 간접적인 기전을 보여준다.

영양소는 인체를 구성하는 중요한 구성성분이다

통증이 생기면 식욕이 떨어지게 되고 그 결과 건강에 좋지 않은 먹거리를 선택할 가능성이 높아진다. 설탕, 밀가루, 식품보존제, 식용 색소, 항생제, 호르몬, 살충제, 녹말이 많은 음식, 동물성 포화 고지방식 등은 염증을 악화시키므로 이런 음식물은 피하는 것이 좋다. 반대로 기름기 없는 단백질, 날것이나 열을 가해서 익힌 채소, 가공하지 않은 과일, 견과류, 씨앗과 충분한 양의 물이 함유된 항염증 식사가 추천된다. 추가적으로 비타민 B, C, D, 글루코사민, 콘드로이틴, 천연유기유황(methyl-sulfonylmethane, MSM) 등을 충분히 섭취하게 해주는 것이 도움이 된다(Table 2, 3).

Table 2. 아라키돈 산의 대사경로를 차단하는 영양소, 식물학적 및 약물 억제자들을 비교한 목록

효소	영양소 억제자	식물학적 억제자	약물 억제자
Phospholipase A2	비타민 E, 퀘르세틴	감초, 강황	부신피질호르몬
Cyclooxygenase	EPA (eicosapentaenoic acid), DHA (docosahexaenoic acid)	생강, 강황, 검은 버드나무, 노루발 풀	진통소염제: 인도메타신, 아스피린, 이부프로펜, 설파살라진, 아세트아미노펜
Lipoxygenase	퀘르세틴, 비타민 E, EPA	강황, 양파, 마늘, 유향	설파살라진

Table 3. 만성통증을 완화시켜주는 영양소, 미네랄 및 항산화제 목록

경구 투여	정맥 주사 투여
비타민 B (B1, 2, 3, 5, 6 ,9 & 12)	비타민 B (B1, 2, 5 ,6, 9 & 12)
비타민 C (antioxidant & hydroxylation)	비타민 C (antioxidant & hydroxylation)
비타민 D (blood level >50 ng/ml)	비타민 D (blood level >50 ng/ml)
(chelated) 마그네슘	황산마그네슘이나 염화마그네슘
철	철
알파리포산	알파리포산
셀레니움	셀레니움
오메가-3 지방산(EPA+DHA>3,000 mg)	태반 추출물
강황	글루타치온

참고) 만성통증을 완화시켜주는 Table 3의 영양소들은 증식치료(prolotherapy) 후에 손상되거나 퇴행된 인대나 건의 조직 재생에 도움을 줄 수 있는 영양소이기 때문에 주사 후에 복용하게 하거나 주사제로 투여하면 장기적인 치료 성적이 향상될 것으로 사료된다.

결론

최근까지의 연구를 종합해 보면 만성통증에서는 산화스트레스가 증가되어 미토콘드리아에서 에너지 생산이 감소되는 것이 주된 원인으로 알려져 있다. 첫 번째로 잠을 잘 잘 수 있는 수면 위생이 중요하기 때문에 약초나 멜라토닌 같은 것을 사용하고, 이완 상태를 만들도록 격려해야 한다. 또한 멜라토닌은 그 자체로 항산화 효소를 활성화시키고 활성산소를 직접적으로 제거하는 기능이 있어서 미토콘드리아의 산화적 인산화 반응의 효율을 증가시키고 전자의 누출을 감소시키는 기능이 있다. 두 번째로 부신, 갑상선, 고환과 난소의 상태를 최적화할 수 있는 호르몬의 기능을 도와줄 필요가 있다. 또한 적절한 영양소의 공급은 체내의 독소와 숨어서 공격하는 감염원 등을 제거하여 인체의 치유 반응을 최적화하는 데 도움을 준다. 만성통증 환자들은 부교감신경보다는 교감신경이 항진되어 있기 때문에 이완치료가 반드시 필요하다. 심신치료의 방법은 명상, EFT (emotional freedom technique), NLP (neuro-linguistic programming) 및 심호흡 수련방법 등이 있다. 만성통증을 포함한 많은 만성질환에 대하여 우선 증상을 억제해 주는 약물을 투여하는 것이 일반적이다. 그러나 기능의학은 만성통증을 포함한 질병의 근본 원인을 찾아서 원인을 해결해는 새로운 패러다임의 의학이다. 기능의학이 21세기 의학으로서 자리를 잡으려면 많은 연구와 노력이 필요할 것으로 사료된다.

척추통증을 예방하는 방법에 대한 요약

1. 항염 및 균형 잡힌 식사(가공되지 않은 다양한 색의 자연식품)
2. 장 건강(5R)
3. 충분한 수액 공급(아침 기상 후 1컵, 식사 30분 전 & 식후 2시간 후 1컵, 취침 2시간 전 한 컵)
4. 저염식, 단당류, 과도한 카페인이 든 음료나 알코올 섭취 줄이기

5. 적절한 영양소 공급

  - 비타민 B (B1, 2, 3, 5, 6, 9 & 12)

  - 비타민 C (antioxidant & hydroxylation of proline)

  - 비타민 A (<5,000 IU), D (blood level >50 ng/㎖), E (tocotrienol) & K2

  - 오메가-3 (EPA+DHA >3,000 ㎎/일을 분복함), 강황, 생강

  - 킬레이션된 마그네슘>칼슘

  - 미량 미네랄(아연, 망간, 크롬, 붕소, 구리, 보론 등)

  - 항산화제: 시스테인, 글루타치온, 알파리포산 등

6. 금연

7. 등급화된 운동처방

8. 심신의학 : 명상치료, EFT (emotional freedom technique) 혹은 NLP (neuro-linguistic programming) 등

*항염 식사(anti-inflammatory diet)

- 어류 : 연어, 참치, 정어리, 멸치류 및 냉수성 어류 등

- 유기농 과일(유전자 조작 농산물이 아닌) 및 다양한 색깔의 채소(베리류, 시금치, 케일 및 브로컬리)

- 견과류 및 씨앗: 호두, 잣, 피스타치오, 아몬드, 치아씨, 호박씨 등

- 콩류

- 올리브 기름(오메가 9, 열을 가하면 오메가 6로 변하기 때문에 드레싱용으로 사용하거나 직접 복용한다)

- 양파

- 가지과 식물(가지, 토마토, 피망 및 감자 등)은 관절염이 있을 때는 피하는 것이 좋다.

- 고단백, 저탄수화물 식사(예를 들면, 당 지수가 낮은 음식) / 채식

REFERENCES

1. Federica Cavalcoli. Micronutrient deficiencies in patients with chronic atrophic autoimmune gastritis: A review, World J Gastroenterol. 2017 Jan 28; 23(4): 563-572.

2. Melanie Haffner-Luntzer. Hypochlorhydria-induced calcium malabsorption does not affect fracture healing but increases post-traumatic bone loss in the intact skeleton. J Orthop Res. 2016 Nov; 34(11): 1914-1921.

3. Gislason GH. Risk of death or reinfarction associated with the use of selective cyclooxygenase-2 inhibitors and non-selective nonsteroidal antiinflammatory drugs after acute myocardial infarction. Circulation. 2006 Jun 27;113(25):2906-13.

4. Gislason GH. Duration of treatment with nonsteroidal anti-inflammatory drugs and impact on risk of death and recurrent myocardial infarction in patients with prior myocardial infarction: a nationwide cohort study. Circulation. 2011 May 24;123(20):2226-35.

5. Gislason GH, Olsen AM Long-term cardiovascular risk of nonsteroidal anti-inflammatory drug use according to time passed after first-time myocardial infarction: a nationwide cohort study. Circulation. 2012 Oct 16;126(16):1955-63.

6. Jones DS. Changing the evidence model. Chapter 5 in Textbook of Functional Medicine (DS Jones, ed). The Institute for Functional Medicine; Gig Harbor, WA: 2005.

7. Gareau MG, Silva MA, Perdue MH. Pathophysiological mechanisms of stress-induced intestinal damage. Curr Mol Med. 2008 Jun;8(4):274-81.

8. Richard S. Lord, J. Alexander Bralley. Laboratory evaluations for integrative and functional medicine. 2nd edition.

9. Yocum DE, Castro WL, Cornett M. Exercise, education, and behavioral modification as alternative therapy for pain and stress in rheumatic disease. Rheum Dis Clin North Am. 2000 Feb;26(1):145-59, x-xi.

10. Blankfield A. Kynurenine Pathway Pathologies: do Nicotinamide and Other Pathway Co-Factors have a Therapeutic Role in Reduction of Symptom Severity, Including Chronic Fatigue Syndrome (CFS) and Fibromyalgia (FM). Int J Tryptophan Res. 2013 Jul 21;6(Suppl 1):39-45.

11. Ozgocmen S, Ozyurt H, Sogut S, Akyol O. Current concepts in the pathophysiology of fibromyalgia: the potential role of oxidative stress and nitric oxide. Rheumatol Int. 2006 May;26(7):585-97

12. Iqbal R, Mughal MS, Arshad N, Arshad M Pathophysiology and antioxidant status of patients with fibromyalgia Rheumatol Int. 2011 Feb;31(2):149-52.

13. Cordero MD, de Miguel M, Moreno-Fern-ndez AM. Mitochondrial dysfunction in fibromyalgia and its implication in the pathogenesis of disease Med Clin (Barc). 2011 Mar 12;136(6):252-6

14. Meeus M, Nijs J, Hermans L, Goubert D, Calders P. The role of mitochondrial dysfunctions due to oxidative and nitrosative stress in the chronic pain or chronic fatigue syndromes and fibromyalgia patients: peripheral and central mechanisms as therapeutic targets? Expert Opin Ther Targets. 2013 Sep;17(9):1081-9.

15. Mark C Perry, Spinal pain and nutrition in adolescents - an exploratory cross-sectional study BMC Musculoskelet Disord. 2010; 11: 138.

16. Jackson AR, Association Between Intervertebral Disc Degeneration and Cigarette Smoking: Clinical and Experimental Findings. JBJS Rev. 2015 Mar 10;3(3)

17. 21st century medicine, A New Model for Medical Education and Practice, xii 2009 IFM, David S. Jones, MD

18. Heather Tick, Nutrition and pain. Phys Med Rehabil Clin N Am. 2015 May;26(2):309-20

통증의 중재적 치료법의
적용과 기본 술기

Technique and tips of pain interventions

이재학, 박진규

중재적 치료법 적용의 tips

1. 경막외 스테로이드 주사

경막외공간에 투여된 스테로이드의 치료효과의 기전은 항염증 작용, 즉 자가면역반응을 억제 하고, 손상받은 신경 분절의 세포막 안정 효과를 가지게 하며, 이환된 신경근세포의 이소성 방출을 감소시키는 것으로 요약될 수 있다.

예를 들어, 추간판탈출, 섬유륜(annulus)의 파열, 퇴행성 추간판질환 등에 의해 추간판의 손상이 있으면 phospholipase-A2가 추간판 수핵에서 유리되어 경막외로 흘러들어온다. 추간판에 고농도로 존재하는 phospholipase-A2는 아라키돈산(arachidonic acid) 연쇄 반응을 일으킨다. 이 반응은 prostaglandin, leukotriene과 다른 염증매개물질을 생산하고 이런 물질들은 추간판, 경막, 후종인대, 신경근의 염증을 야기하고 통증을 발생시키게 된다. 경막외 스테로이드 주사는 이러한 자가면역반응을 감소시켜서 통증이 조절될 수 있게 된다. 그 외 부수적인 기전은 투여된 주사제에 의해 염증매개물질이 희석되는 기전이다.

이런 기전을 근거로 경막외 스테로이드 주사의 적응증을 요약하면 1) 요추, 경추의 추간판 질환, 2) 신경근병증, 3) 척추관협착증, 4) 후궁절제술후 증후군(postlaminectomy syndrome), 5) 척추 압박골절, 6) 엉치뼈 골절(sacral fracture), 7) 대상포진후 신경통 등이 있다.

추궁간판 접근에 비교하여 경추간공 접근법은 약제를 병변에 근접한 전방의 경막외공간으로 도달시킬 수 있는 장점이 있다. 미골 접근법이 필요한 경우는 1) 엉치뼈 골절(sacral fracture), 2) 엉치뼈 신경병증(sacral neuropathy), 3) 꼬리뼈 통증(coccygodynia), 4) 광범위한 후방유합(posterior fusion)이 있는 환자에서 추궁간판 접근이 어려운 경우이다(Figure 1-A, B, C).

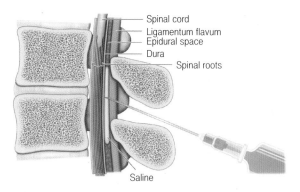

Figure 1-A. 추궁간판 접근법(저항 소실법, 생리식염수 이용)

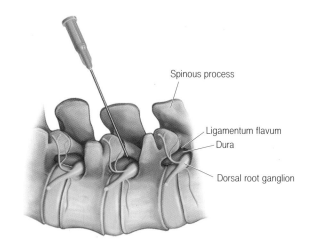

Figure 1-B. 경추간공 접근법

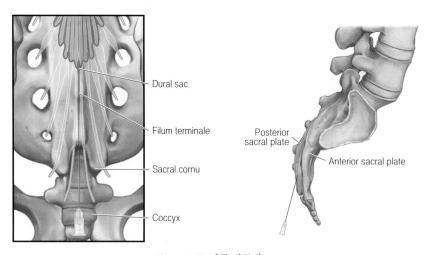

Figure 1-C. 미골 접근법

2. 추간관절 시술(추간관절주사, 후지내측지차단, 후지내측지의 고주파 절제술)

추간관절은 두 척추를 후방에서 연결하는 활막성 관절이다. 추간관절부의 통증은 척추신경뿌리의 후지 내측지를 경유하여 뇌로 전달되며 각각의 추간관절에는 관절의 위쪽을 지배하는 내측지와 아래쪽을 지배하는 내측지가 있다(Figure 2). 후관절에서 기인하는 통증의 특징은 아래와 같이 요약될 수 있다.

1) 편측 또는 양측 척추주변 하부 요통이나 경부통, 통증은 일반적으로 무릎 이하나 팔꿈치 이하로 방사되지 않으며 비피부 분절성 양상이다.
2) 비틀거나 회전하는 움직임에서 통증이 심해진다.
3) 굴절보다는 신전에서 통증이 심하고 굴절 시에 통증이 소실될 수도 있다.
4) 앉았다가 일어날 때 심해지는 통증
5) 움직임을 통해 경감되는 통증
6) 아침에 통증이 심하다.
7) 정상 신경검사
8) 이환된 척추 후관절 위를 촉진 시 압통
9) 하지 거상법 시 방사통이 없다.

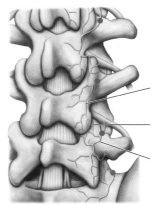

Medial branch of the spinal nerve root innervating the superior portion of the L4/L5 facet joint

L4/L5 facet joint

Medial branch of the spinal nerve root innervating the inferior portion of the L4/L5 facet joint

Figure 2. 요추 제4-5번 추간관절은 위와 아래의 후지내측지로부터 신경지배를 받는다.
추간관절로부터 기인하는 통증은 이러한 후지내측지 신경을 통해 전달되며,
후지내측지차단술의 목표점(빨간점)은 횡돌기와 상관절돌기가 만나는 부분이다.

추관관절주사외 후지내측지 차단술의 경우 진단과 동시에 치료 목적으로 적용될 수 있으며, 주사 후 통증이 완화되었다면 양성 결과로 판단하며 이후 통증완화 기간 동안 운동요법, 자세교육, 물리치료 등의 보존적 치료를 병행한다. 반복해서 통증이 발생하는 경우는 후지 내측지의 고주파 절제술을 적용한다. 고주파절제술의 경우 진통효과는 신경이 재생되기 때문에 6개월에서 길게는 18개월 정도 지속된다.

3. 천장관절 주사, 천장관절 고주파 절제술

천장관절은 체중부하 관절로서 척추체 바닥 쪽인 천골과 장골을 연결한다(Figure 3). 천장관절의 통증은 방사통이 없는 만성요통으로 편측 혹은 양측으로 나타날 수 있으며, 사타구니나 허벅지 쪽으로 방사될 수 있고 저린감도 나타날 수 있다. 앉아있는 자세에서 더 불편감이나 통증을 호소할 수 있다. 천장관절 주사는 요통의 진단과 치료에 있어 중요하다. 천장관절이 요통에 얼마나 관여하는지도 알 수 있고, 실제로 천장관절의 염증이나 퇴행성질환에 의한 통증의 치료도 될 수 있다. 다른 치료방법으로 통증이 있는 천장관절에서 통증자극을 전달하는 신경을 고주파 절제하는 방법이 있다(Figure 3).

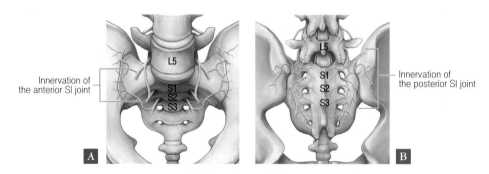

Figure 3. A. 앞쪽 및 B. 뒤쪽의 천장관절의 신경지배
천장관절의 고주파절제술은 뒤쪽 신경에만 적용할 수 있음.

4. 증식치료

증식치료는 손상된 조직의 치유과정을 자극하기 위해 고안된 주사요법이다. 증식제(proliferant)를 인대나 건·관절 등에 주사하여 손상된 조직의 복구과정을 촉진하게 된다. 기본적으로 증식제는 포도당(glucose)이 이용되며, 50% 포도당용액을 국소마취제와 생리식염수 혹은 주사용 증류수를 이용하여 12.5% 혹은 15%로 희석하여 사용한다.

5. 근근막 통증에 대한 통증유발점 주사

통증유발점 주사는 근근막 통증의 증상을 조절하는 데 사용될 수 있는 비교적 안전한 시술이다. 통증유발점과 방사통(referred pain)을 명확하게 확인하고 이해한다면, 통증유발점 주사는 유용할 수 있다. 이를 위해서는 문진 시 환자에게 통증을 느끼는 부위를 직접 그려보라고(pain mapping) 하고 이를 통해 통증의 범위를 분석하는 것은 매우 유용하다. 통증유발점 주사는 비정상적인 신경 근육접합부를 교정하고, 기계적으로 비정성적인 근육 수축요소를 분열시키며, 신경감작물질들을 씻어낸다. 또한 병적 신경 피드백 메커니즘을 비활성화시킨다. 근막통증치료를 위해서는 주사 후 물리치료와 신전운동을 병행하는 것이 가장 좋은 방법이다.

2. 블록용 바늘과 조작술

블록용 바늘의 특성을 잘 알고 이해하며, 간편한 조작술을 습득한다는 것은 척추통증의 중재적 치료에서 매우 중요하다고 할 것이다.

블록용 바늘은 Tuohy 경막외바늘과 가장 흔히 사용되는 Quincke 척추 바늘, MONOJECT® SENSI-TOUCH 척추 바늘의 종류가 있으며 Tuohy 경막외바늘은 끝이 약간 휘어져 있어 경막 천자의 위험성을 최소화할 수 있도록 고안되었다(Figure 4-A, B, C).

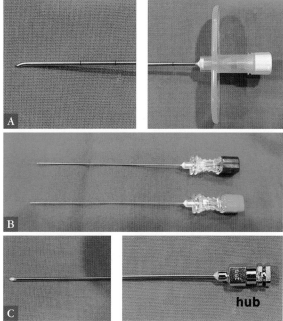

Figure 4.
A. 18 G Tuohy 경막외바늘, 바늘의 tip이 약간 휘어져 있어 경막천자의 위험성을 최소화할 수 있다.
B. 3.5inch 22 G Quincke 척추 바늘(검은색 hub), 3.5inch 23 G Quincke 척추 바늘(파란색 hub).
C. 18 G MONOJECT® SENSI-TOUCH 척추 바늘, bevel 면이 hub의 notch가 있는 면과 같은 방향 이다.

블록용 바늘은 내부에 stylet이 있는데 이것은 블록 바늘을 조직 내로 전진시킬 때 조직이 카눌라 내에 끼이지 않도록 하는 역할을 하므로 블록용 바늘을 밀어 넣을 때 stylet은 반드시 카눌라 내에 꼭 맞게 끼워져야 한다. 바늘을 조직 내에서 제거할 때도 stylet을 끼워 넣고 제거하는 편이 좋다.

대부분의 블록용 바늘은 조직 내에서 방향을 용이하게 조절할 수 있도록 그 끝이 사면(bevel)형태로 고안되어 있다. 또 블록용 바늘이 20 G보다 가늘수록 길이가 3.5inch보다 길수록 바늘의 방향을 잡기가 힘들다. 이는 조직의 밀도에 따르는 저항의 차이로 저항이 적은 방향으로 빠지기 때문이다. 블록용 바늘은 hub의 한쪽에 홈이 파인 부분(notch)이 사면(bevel)의 방향과 일치하도록 되어 있으므로 조직 내로 바늘을 진입시키게 되면 바늘의 tip은 hub 홈의 위치와 반대 방향으로 즉, bevel 방향의 반대 방향으로 움직이게 된다(Figure 5). 이런 이유로 피부에서 목표부위와 너무 멀리 떨어져서 블록용 바늘을 진입시키게 되면 원하는 방향으로 조작하기가 힘들어진다. 따라서 시술 전 영상증강장치를 잘 정렬하여 블록용 바늘의 피부 삽입점과 경로를 결정하는 것이 중요하다(동축기법, coaxial technique).

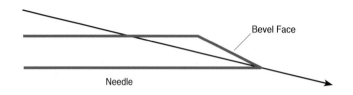

Figure 5. 블록용 바늘이 삽입될 때 진입방향은 bevel의 반대 방향으로 움직이는 경향이 있으며, 이는 블록 바늘의 tip이 이루는 각을 이등분한 화살표 방향으로 움직이며, 이는 블록바늘 hub에 위치한 notch의 반대 방향이다.

블록용 바늘 진입의 방향성과 안전성을 위하여 또 다른 중요한 점은 블록용 바늘의 잡는 방법이 적절해야 한다. 우선 시술하는 손의 엄지 손가락은 stylet hub 위에 놓고, 블록 바늘의 hub를 검지와 중지 사이에 놓는다. 반대편 손은 손바닥이 환자의 피부 위에 위치시킨 상태에서 엄지와 검지, 중지를 이용하여 블록용 바늘의 허리를 잡는다(Figure 6). Tuohy 바늘을 이용하여 저항 소실법으로 경막외공간으로 진입할 때는 바늘의 stylet을 제거하고, 주사기에 3 ㎖ 식염수나 혹은 공기를 채운 후 조심스럽게 바늘을 진입시키게 되는데, 이때 바늘의 허리를 잡는 반대편 손의 손등이 환자의 피부위에 위치시킨 상태에서 엄지와 검지를 이용해 블록용 바늘의 허리를 잡는다. 이는 Tuohy 바늘이 조심스럽게 1~2 ㎜씩 진입될 수 있도록 도움을 준다(Figure 7).

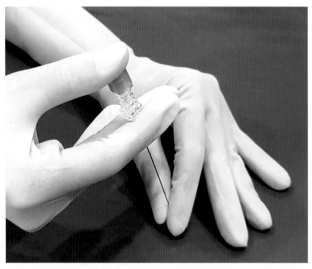

Figure 6. 블록용 바늘을 잡는 방법
블록용 바늘 진입의 방향성과 안전성을 위하여 중요하다.

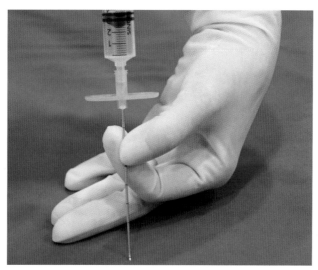

Figure 7. 경막외소실법으로 진입할 때 Tuohy 경막외척추 바늘을 잡는 방법
Tuohy 바늘이 조심스럽게 1~2 ㎜씩 진입될 수 있도록 도움을 준다.

REFERENCES

1. Rydevik B, Brown MD, Lundborg G. Pathoanatomy and pathophysiology of nerve root compression . Spine 1984; 9:7-15.

2. Saal JS, Franson RC, Dobrow R, et al. high level of inflammatory phospholipase A2 activity in lumbar disc herniations. Spine 1990; 15:674-678.

3. Lutz GE, Vad VB, Wineski RJ. Fluoroscopic transforaminal epidural steroids: An outcome study. Arch Phys Med Rehabil 1998;79:1362-1366.

4. Schaufele M, Hatch L. Interlaminar versus transforaminal epidural injections in the treatment of symptomatic lumbar intervertebral disc herniations. Arch Phys Med Rehabil 2002; 83:1661.

5. Jackson RP, Jacobs RR, Montesano PX. 1988 Volvo awards in clinical sciences: Facet joint injection in low back pain : A prospective statistical study. Spine 1998; 13:966-971.

6. Revel M, Poiraudeau S, Auleley GR, et al. Capacity of the clinical picture to characterize low back pain relieved by facet joint anesthesia: proposed criteria to identify patients wiyh painful facet joints. Spine 1998; 23:1972-1977.

7. Dreyfuss P, Halbrook B, Pauza K, et al. Efficacy and validity of radiofrequency neurotomy for chronic lumbar zygapophysial joint pain. Spine(Phila Pa 1976).2000;25(10):1270-1277.

8. Schwarzer AC, April CN, Bogduk N. The sacroiliac joint in chronic low back pain. Spine(Phila Pa 1976).1995;20:31-37.

9. Braun J, Bollow M, Seyrekbasan F, et al. Computed tomography guided corticosteroid injection of the sacroiliac joint in patients with spondyloarthropathy with sacroiliitis : Clinical outcome and followup by dynamic magnetic resonance imaging. J Rheumatol 1996;23:659-664.

10. Scott NA, Guo B, Barton PM, et al. Trigger point injections for chronic non-malignant musculoskeletal pain : A systemic review. Pain Med.2009;10(1):54-69.

11. Rabago D, Slattengren A, Zgierska A, Prolotherapy in primary care practice. Prim Care.2010;37:65-80.

12. Ahn Ws, Bahk JH, Lim YJ, et al. The effect of introducer gauge,design and bevel direction on the deflection of spinal needles. Anaethesia. 2002;57:1007-1011.

13. Baumgarten RK. Importance of the needle bevel during spinal and epidural anesthesia. Reg anesth. 1995;20:234-238.

14. Drummond GB, Scott DH. The bevel and deflection of spinal needles. Anesth Analog. 1983;62:371

PART 2

선택적 경추간공을 통한 경막외주사

Transforaminal epidural steroid injection (TFESI)

김세훈, 박관호

적응증(Indication)

1. 척추에서 기계적 화학적 자극으로 인해 발생하는 방사통
   - 추간반탈출증, 척추관협착증, 압박골절 등에 의해 신경의 압박이 있는 경우
   - 신경근이 외상이나 감염등에 의해 발생한 통증
2. 척추부위 수술 후 발생한 신경인성통증
3. 퇴행성 추체의 변화에 의한 통증
4. 증상을 유발하는 신경근 확인 및 탐색하고 치료 방법의 결정이나 예후 판정이 필요할 때
5. 이전에 수술을 시행하여 진단이 애매한 경우
6. 영상의학적 검사상 병변과 증상이 다른 경우
7. 고관절, 슬관절 병변과 동반되어 진단이 어려운 경우

술기(Procedure)

1. L1 to L4 요추부 경추간공 경막외주사

1) 환자를 C-arm table에 prone position으로 하고 요추부가 약간 굴곡되도록 10 ㎝ 높이의 베개를 복부에 받치고 시술부위를 소독한다.
2) C-arm을 원하는 척추 부위에 전후 영상(AP view)를 확인하고 하부 종판(endplate)이 일치하도록 전후 영상을 조절한다.
3) 일반적으로 요추부 극돌기가 상연으로부터 외측방으로 4 ㎝ 떨어진 곳에서 방사선 사위상(oblique view)으로 한 뒤, 추체의 추경(pedicle), 횡돌기 관절돌기가 Scotty dog 모양이 보이도록 한다. 바늘 천자부위 피하에 국소마취를 시행한다.
4) 척추경 아래 6시 방향(Scotty dog eye)에 22 gage 8 ㎝ needle을 바늘 연결부만 보이는 터널

시야 방법(tunnel vision technique)으로 **Figure 1**에서 보이는 안전 삼각부위에 바늘을 위치한다 (**Figure 3**). 천천히 바늘 끝이 전진하게 되고 신경근(nerve root)에 도달하면 환자는 신경근에 따른 방사통을 호소하게 된다. 이때 가능하면 바늘의 전진을 멈추고 바늘을 약 2 mm 정도 뒤로 후퇴하여 통증이 사라질 때까지 기다린다.

5) 방사선 전후상에서는 needle 끝이 신경근의 중간 1/3 부위에 위치하였는지 확인한다.

6) 조영제를 투입하여 혈관과 척추강 내에 바늘 끝이 있지 않는 것을 확인하고 방사선 촬영을 한다. 특히 좌측의 신경근 차단의 경우 Adamkiewicz artery가 신경근 신경절(dorsal root ganglion)에 가까운 신경공(neural foramen)으로 통해 척추관으로 들어가기 때문에 흉추하부와 요추에서 주의를 요한다(**Figure 2**).

7) 약물의 주입은 각 부위별로 1.0~2.00 cc(mℓ) 정도 주입한다. 약물 주입하는 중간 중간에 음압 (negative aspiration)을 주어 바늘 끝이 혈관에 들어가지 않는지 확인하면서 주입한다.

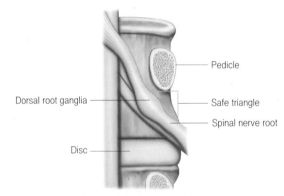

Figure 1. 척추부 경추간공 경막외주사 부위 안전 삼각형
상부(upper): 상부 추경(upper pedicle) 측부(lateral): 상부 및 하부 추경을 잇는
가상의 선 내부(medially): 신경근(spinal nerve root)

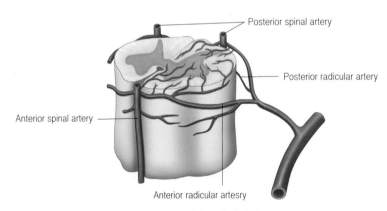

Figure 2. 척추동맥 혈관 분포
전, 후 척추동맥은 척수신경에 분포한 동맥과 연결되어 있으므로 약물 주입 시
중간중간 음압을 주어 피가 역류되는 여부를 확인하여야 한다.

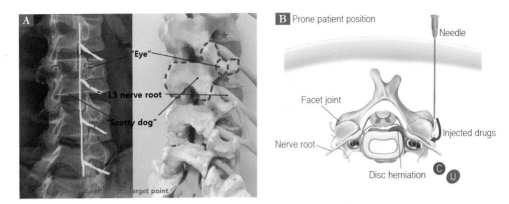

Figure 3. 제1요추에서 4요추까지 경막외주사 부위(★)

경추부 경추간공 경막외주사는 시술과정에서 shock, vertebral artery ischemia, motor weakness 및 seizure 등의 부작용이 발생할 수 있다. 일부 시술자에서는 이런 부작용을 피하기 위해 posterior approach를 시행하기도 한다. Needle을 facet lateral margin에 수직으로 접근하여 fascia를 타고 anterior foramen으로 약물을 흘려 넣는 방법으로 기존의 경추간공 주사와 유사한 효과를 얻을 수 있다.

* 경추부 경추간공 경막외주사는 시술과정에서 shock, vertebral artery ischemia, motor weakness 및 seizure 등의 부작용이 발생할 수 있다. 일부 시술자에서는 이런 부작용을 피하기 위해 posterior approach를 시행하기도 한다. Needle을 facet lateral margin에 수직으로 접근하여 fascia를 타고 anterior foramen으로 약물을 흘려 넣는 방법으로 기존의 경추간공 주사와 유사한 효과를 얻을 수 있다.

2. L5 요추부 경추간공 경막외주사

제5요추부 신경근 차단의 경우 전후 영상(AP view) 각도(craniocaudal angulation)를 좀 더 맞출 필요가 있으며 안전 삼각지점(safety triangle)은 제5요추 횡돌기, 제1천추 상부관절(superior articular process) 장골 벗(iliac crest)으로 형성되는데 종종 iliac crest가 바늘의 전진을 막을 수 있다. 이런 경우 바늘의 전진은 내측에서 외측 방향(medial to lateral)으로 이루어지면서 바늘이 iliac crest를 지나가도록 하고 위치는 척추경 아래에 위치하도록 한다(Figure 4).

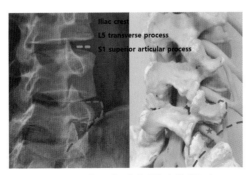

Figure 4. 제5요추 경막외주사 부위(★)

신경근 조영을 시행하여 바늘이 신경근 뒤쪽에 위치하여 있는지 확인한 뒤 신경차단술을 시행한다.

3. S1 천추부 경추간공 경막외주사

제1천추 신경근 차단의 경우 천추 구멍(sacral foramen)을 확인하기 위해 전후 영상(AP view) 각도(craniocaudal angulation)를 좀 더 맞출 필요가 있다. 때로는 동측 측면(ipsilateral lateral angulation)이 5~10° 정도 필요할 수도 있다. 천추 구멍으로 바늘 삽입 시 골반강까지 들어갈 수 있으므로 주의를 하여야 한다. 바늘은 천추 구멍의 뼈 가장자리(bone margin)까지 전진시킨 뒤 천추 구멍으로 수 밀리미터(few millimeters) 전진시킨다. 이후 조영제를 사용하여 바늘이 천골신경근 뒤쪽에 위치하고 있는지 확인한 뒤 신경차단술을 시행한다. 좀 더 선택적인 진단 목적의 S1신경 차단을 위해서는 때때로 배쪽 천추 제1신경공(ventral S1 neural foramen)을 통해 바늘을 5~10 mm 정도 전진하는 경우도 있다(Figure 5).

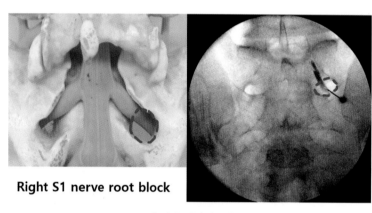

Right S1 nerve root block

Figure 5. 제1천추 경막외주사 부위(★)

바늘은 천추 구멍의 뼈 가장자리(bone margin)까지 전진시킨 뒤 천추 구멍으로 수 밀리미터(few millimeters) 전진시킨다. 이후 조영제를 사용하여 바늘이 천골 신경근 뒤쪽에 위치하고 있는지 확인한 뒤 신경차단술을 시행한다.

4. 흉추부 경추간공 경막외주사

흉추부 선택적 신경차단술은 부작용으로 기흉 등이 발생할 수 있어 거의 시행하지 않는다. 동측으로 C-arm을 사위각(oblique view)으로 한 뒤 요추와 같은 방법으로 척추경 하부를 목표로 바늘을 삽입한다. 후흉막면(posteromedial pleural line)을 확인하는 것이 필요하고 척추경의 측방에서 가운데로 삽입하는데 척추강내로 들어가는 것을 주의하여야 한다. 바늘의 위치는 늑골과의 후흉막(posteromedial pleura) 때문에 요추보다 척추경 아래 6시 방향(Scotty dog eye)의 위쪽 가운데에(superior and meial) 있도록 한다. 일반적으로 흉추부 경막외차단술은 접근이 어렵다(Figure 6).

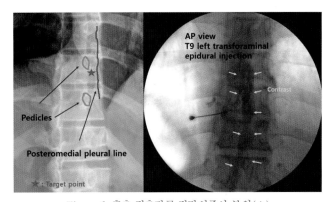

Figure 6. 흉추 경추간공 경막외주사 부위(★)

동측으로 C-arm을 사위각(oblique view)으로 한 뒤 요추와 같은 방법으로 척추경 하부를 목표로 바늘을 삽입한다.

5. 경추부 경추간공 경막외주사(Figure 7)

경추의 신경근은 요추 신경근에 비해 좀 더 수평(horizontal course)으로 지나가고 척추동맥에 좀 더 가까운 특성이 있다.

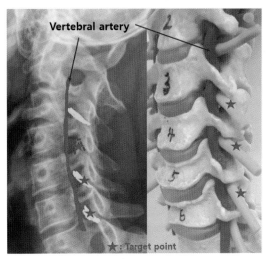

Figure 7. 경추 경추간공 경막외주사 부위(★)

경추의 신경근은 요추의 신경근에 비해 더 수평으로 지나가고 척추동맥에 가까이 있어 주의를 요한다.

1) 환자를 엎드린 자세에서 머리는 반대 어깨쪽으로 돌리게 한다. 이는 경동맥과 경정맥이 바늘 천자 부위의 앞쪽으로 옮겨가는 효과를 볼 수 있으며 목표점이 후하부(posteroinferior)에 위치 할 수 있도록 한다.

2) 25 G 바늘을 사용하여 신경공 후하부 부위(neural foramen posteroinferior margin)에 인접한 상 부 관절(superior articular process)의 베이스를 향해 전진시킨다.

3) 바늘은 신경공 측방에서 전방으로(slightly anterior to lateral) 약간 재위치시킨다. 신경공의 바로
   앞쪽에 척추동맥이 있으므로 신경공 후면(posterior margin)에 위치하여야 한다.
4) 수용성 조영제 0.5 cc를 투입하여 신경근이 지나가는 경막외부인지를 확인한다.
5) 이때 치료용량은 요추에 들어가는 양의 1/2 정도가 적당하다.

5. 요추부 경막외신경차단을 위한 조영제 사용 예(Figure 8)

환자 자세: Prone position

사용 약제: 1% 리도카인, 0.25% 부피바카인(상황에 따라 용량 선택)±스테로이드

기구: Spinal needle, 22-gauge, 6-inch

Diagnostic injection: total 0.5 cc

0.5 cc (1% lidocaine or 0.25% bupivacaine or mix together)

과도한 약물은 경막외나 인접 신경으로 확산되기 때문에 0.5 cc를 초과하지 않는다.

Therapeutic injection: total 1.0~2.0 cc

1 cc (1% lidocaine or 0.25% bupivacaine or mix together)+5 mg/mℓ dexamethasone 0.5~1.0 cc

6개월에 4회 이내, 최소한 2~3주 간격으로 차단술 시행하는 것이 원칙이다.

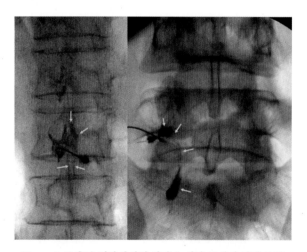

Figure 8. 요추부 경막외신경 차단을 위한 조영제 퍼짐 모양
노란선: 경막외부위 조영, 녹색선: 신경분지로 퍼진 부위 조영

합병증 및 금기(Complication & Contraindication) (Table 1)

주사부위의 감염, 패혈증, 항응고제 치료 중이나 항응고병이 있는 경우
Steroid 중에 triamcinolone은 분자량이 커서 epidural injection 시 spinal radicular artery infarct
후 motor weakness의 위험성이 있으므로 epidural injection은 금기하여야 한다.

Table 1. Side effects of epidural and nerve root block

Side effects		
Minor	Major	Steroid induced
Headache	Low blood pressure	Suppression of pituitary-adrenal-axis
Dural puncture	Arrhythmia	Cushing's syndrome
Paresthesia of lower extremity	Infection	Osteoporosis
Increased radiating pain	Hematoma	Avascular nercrosis of bone
Radiation exposure	Central nervous system fistula	Epidural lipomatosis
	Dyspnea due to spinal anesthesia	Body weight gain
	Cerebral infarction	
	Spinal cord infarction	
	Seizure	
	Sudden cardiac death	

보험 진료 지침

보험 코드: 분류 번호 다-210/바-22
분류 코드: 경추 및 흉추 LA321
　　　　　요추 및 천추 LA322

일회성 경추 및 흉추 경막외신경차단술(epidural nerve block/single/cervical and/or thoracic)
바-22 LA321
적응증
대상포진후 신경통(G530)
경추간반장애(M50)
경추두개증후군(M530)
경추상완 증후군(M531)
척추협착(M40: 경추 M4802/흉추 M4804)
척추 불안정(M532)
기타 명시된 등병증(M538)
등통증(M54)
신경뿌리병증(M541)
경추통(M542)
목의 골절(S12)
흉추의 골절(S220)

일회성 요추 및 천추 경막외신경차단술(epidural nerve block/single/lumbar and or caudal)

바-2 LA322

적응증

복합부위통증 증후군 II형(G564)

척추 분리증(M430)

신경뿌리병증(M541)

신경뿌리 병증을 동반한 기타 척추증(M472)

척추협착(M480)

기타 추간반장애(M51)

척추 불안정(M532)

기타 척추와 관련된 상병들

* 선택적 경추간공 경막외조영술/신경차단술(selective transforaminal epidurography/block) 또는
경추간공 경막외주사/신경차단술(transforaminal epdural injection/block) 세부인정

1. 부신피질호르몬제 사용 시 주 1회씩, 3회 정도 시행하고 호전되지 않으면 수술 등 다른 치료방법을 고려해야 함. 이때 확인할 수 있는 영상자료를 첨부토록 함.

2. 산정 방법

1) 행위료

(1) 1 level 시행 시

① 편측: 경막외조영 소정 점수(다-210)만 산정(selective transforaminal epidural block/ transforaminal epidural block 행위료는 조영술에 포함)

② 양측: 경막외조영 소정 점수(다-210)와 경막외신경차단술 소정 점수(바-22)의 50%를 산정

(2) 동시에 2 level 시행시

① 편측: 제1 level은 경막외조영 소정 점수(다-210)를 산정하고, 제2 level부터는 경막외신경차단술 소정 점수(바-220)의 50%를 산정

② 양측: 최대 2 level까지 산정하며 제1 level은 경막외조영 소정 점수(다-210)와 경막외신경차단술 소정 점수(9바-220)의 50%를 산정하고, 제2 level부터는 경막외신경차단술 소정 점수(바-22)의 50%를 산정(바-22 최대 150% 산정 가능)

2) 약제비: 조영제, 국소마취제, 스테로이드 등 사용된 약제는 별도로 산정됨.

* 선택적 경추간공 경막외조영술/신경차단술(selective transforaminal epidurography/block) 또는 경추간공 경막외주사/신경차단술(transforaminal epidural injection/block) 시 영상 자료의 세부 적용기준

1) 주사바늘 끝(needle tip)은 정면상에서 추간공 안쪽에, 측면상에서 전경막외강(anterior epidural space)에 위치해야 함.

2) 조영제는 정면 상에서 시술부위(level) 주위의 경막외강에, 측면상에서 전경막외강내에 퍼짐이 확인 되어야 함.

3) 상기 1) 또는 2)의 조건을 충족하기 어려운 경우는 그 사유를 기재 시에 사례별로 인정함.

REFERENCES

1. Alleyne CH Jr, Cawley CM, Shengelaia GG, Barrow DL. Microsurgical anatomy of the artery of Adamkiewicz and its segmental artery. J Neurosurg 1998;89(5):791-795.

2. Bogduk N. The innervation of the lumbar spine. Spine 1983;8(3):286-293.

3. Derby R, Kine G, Saal JA, Reynolds J, Goldthwaite N, White AH, et al. Response to steroid and duration of radicular pain as predictors of surgical outcome. Spine 1992;17:S176-183.

4. Eckel TS, Bartynski WS. Epidural steroid injections and selective nerve root blocks. Tech Vasc Interv Radiol 2009;12(1):11-21.

5. Fenton DS, Czervionke LF. Image-guided spine intervention. Saunders, 2003, pp 73-98.

6. Howe JF, Loeser JD, Calvin WH. Mechanosensitivity of dorsal root ganglia and chronically injured axons: A physiological basis for the radicular pain of nerve root compression. Pain 1977;3(1):25-41.

7. Huntoon MA. Anatomy of the cervical intervertebral foramina: vulnerable arteries and ischemic neurologic injuries after transforaminal epidural injections. Pain 2005;117(1-2):104-111.

8. Johansson A, Hao J, Sjölund B. Local corticosteroid application blocks transmission in normal nociceptive C-fibers. Acta Anaesthesiol Scand 1990;34(5):335-338.

9. Kanemoto M, Hukuda S, Komiya Y, , Katsuura A, Nishioka J. Immunohistochemical study of matrix metalloproteinase-3 and tissue inhibitor of metalloproteinase-1 in human intervertebral discs. Spine 1996;21(1):1-8.

10. Kawakami M, Weinstein JN, Spratt KF, Chatani K, Traub RJ, Meller ST, et al. Experimental lumbar radiculopathy. Immunohistochemical and quantitative demonstrations of pain induced by lumbar nerve root irritation of the rat. Spine 1994;19(16):1780-1794.

11. Kinard RE. Diagnostic spinal injection procedures. Neurosurg Clin N Am 1996;7(1):151-165.

12. Kraemer J, Ludwig J, Bickert U, Owczarek V, Traupe M. Lumbar epidural perineural injection: a new technique. Eur Spine J 1997;6(5):357-361.

13. Link SC, el-Khoury GY, Guilford WG. Percutaneous epidural and nerve root block and percutaneous lumbar sympatholysis. Radiol Clin North Am 1998;36(3):509-521.

14. Manchikanti L, Cash KA, Pampati V, Falco FJ. Transforaminal epidural injections in chronic lumbar disc herniation: a randomized, double-blind, active-control trial. Pain Physician 2014;17(4):E489-501.

15. Murtagh FR. Discography. In Williams AL, Murtagh FR(eds). Handbook of Diagnostic and Therapeutic Spine Procedures. St. Louis: CV Mosby. 2002, pp 187-188.

16. Parke WW, Whalen JL. The vascular pattern of the human dorsal root ganglion and its probable bearing on a compartment syndrome. Spine 2002;27(4):347-352.

17. Takahashi H, Suguro T, Okazima Y, Motegi M, Okada Y, Kakiuchi T. Inflammatory cytokines in the herniated disc of the lumbar spine. Spine 1996;21(2):218-224.

18. Wagner AL, Murtagh FR. Selective nerve root blocks. Tech Vasc Interv Radiol 2002;5(4):194-200.

후궁사이 경막외주사 및 미추 경막외주사

Interlaminar and caudal epidural injection

조평구, 송준석

후궁사이 경막외주사(Interlaminar epidural injection)

적응증(Indication)

1. 진단적 신경차단, 수술을 위한 마취 목적
2. 급성기통증 조절 목적 – 외상 직후, 수술 후 통증조절, 대상포진, 환상지통
3. 암성통증, 화학요법에 의한 말초신경 이상에 의한 통증
4. 혈류 저하로 인해 발생하는 통증(frostbite, ergotalmine toxicity)
5. 만성적으로 유발되는 척추 관련 모든 통증
6. 압박골절, 당뇨병성 통증
7. 복합부위 통증 증후군(complex regional pain syndrome)
8. 경추 및 어깨 관련 통증, 두통
9. 흉부 및 복부 통증(예: 협심증, 췌장염)
10. 하부 복부, 요추부, 후복강, 골반, 하지 관련 통증

해부학적 특징

후궁사이 공간(interlaminar space) 혹은 극돌기사이 공간(interspinous space)는 인접한 뼈(후궁 혹은 극돌기(spinous process)) 사이에 위치한 연부조직의 틈을 의미한다. 경막외공간은 척추관의 내측경계와 경막의 외측 경계의 잠재적 공간으로 후궁사이 경막외신경차단술을 시행하는 공간은 경막의 뒤쪽 경계와 황색인대의 내측 경계, 극간 인대의 앞쪽경계로 이루어져 있다. 경추의 경막외공간은 아주 좁은 공간으로 C7 부위에서 1.5~2 ㎜에 불과하며, C7 이상의 부위에서는 1 ㎜ 이하이다. 요추의 경우에 보통은 뒤쪽 공간이 매우 크고 지방으로 채워져 있어서 시술하는 데 큰 어려움은 없다. 그러나 이전에 수술을 받았던 환자나 요추협착이 있는 경우에는 경막외공간이 매우 좁아져 있

을 수 있어 주의하여야 하고 접근이 어려울 경우에는 미추 경막외차단으로 접근해야 한다. 경추 및 흉추에서는 황색인대가 정중선에서 유합되지 않는 경우가 있어 바늘이 들어가면서 저항을 느끼지 못할 수 있으므로 주의를 해야 한다(Figure 1).

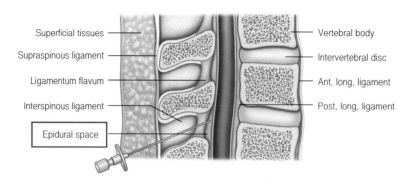

Superficial tissues

Supraspinous ligament

Ligamentum flavum

Interspinous ligament

Epidural space

Vertebral body

Intervertebral disc

Ant. long. ligament

Post. long. ligament

Figure 1. 경막외주사(epidural space injection)

술기(Procedure)

1. 저항소실법(Loss of resistance technique)

바늘이 경막외강으로 들어갔는지 확인하는 방법으로, 바늘이 극돌기간 인대를 완전히 지나기 전에 탐침(stylet)을 뽑고 등장성 식염수와 작은 공기방울을 함유한 10 ㎖ 용량의 주사기를 연결한다. 주사기에 약간의 압박을 가하면서 계속 삽입하면 황색 인대(ligamentum flavum)를 뚫고 경막외강에 진입하게 되며 이때 경막외강의 음압으로 plunger의 저항이 갑자기 소실되면서 안으로 빨려들어가는 느낌이 인지된다. plunger를 뒤로 뽑아 보거나, 헛기침 등을 시켜 뇌척수액이 나오지 않음을 재차 확인하여야 한다. 다른 방법으로 바늘이 극돌기간 인대를 완전히 지나기 전에 탐침을 뽑고 등장성 식염수를 시술자 쪽 경막외천자침에 맺히게 한 후 조금씩 진입시키면 경막외강에 진입 시 식염수가 안으로 빨려들어가는 것을 확인할 수 있다. 저항소실법은 경추, 흉추 및 요추부에 상관없이 동일하게 적용할 수 있다(Figure 2).

* 저항소실법의 경우 환자마다 황색인대의 두께가 다르고, 특히 경추인 경우 저항 소실을 느끼는 것이 어려운 경우가 있어서 세심한 주의가 요구된다.

환자 자세: Prone position 또는 lateral position(요추부의 경우 선택)
사용 약제: 1% 리도카인, 0.25% 혹은 0.5% 부피바카인(상황에 따라 용량 선택)±스테로이드
스테로이드: Betamethasone sodium phosphate, betamethasone acetate injectable suspen-
sion 6 ㎎/㎖, dexamethasone 5 ㎎/㎖
* 경막외공간에 triamcinolone 사용금지

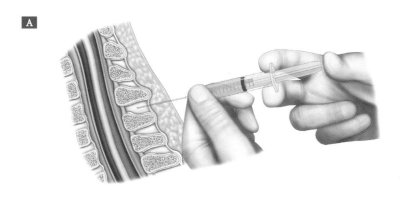

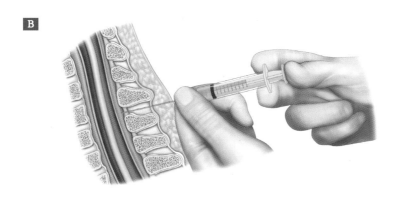

Figure 2. 저항소실방법(loss-of-resistance technique)

A. Position of the needle and hand for the loss-of-resistance technique in the cervical region, B. Sudden loss of resistance
경추부에 epidural injection 시행 시 두손으로 주사바늘을 잡고 서서히 앞으로 전진시킨다. 서서히 주사기를 전진하면 어느 순간 갑자기 저항이 소실되는 느낌이 손 끝에서 느껴지면서 주사기 내의 조영제가 부드럽게 들어가게 된다.

기구: 경막외천자침(epidural needle), 18 또는 20-gauge
- Diagnostic injection: total 0.5 cc
   0.5 cc (1% lidocaine or 0.25% bupivacaine or mix together)
   과도한 약물은 경막외나 인접 신경으로 확산되기 때문에 0.5 cc를 초과하지 않는다.
- Therapeutic injection: 경추: 4.0~6.0 cc, 흉추: 6.0~8.0 cc, 요추: 10.0~12.0 cc
   배합 비율: 4 cc (1% lidocaine or 0.25% bupivacaine or mix together)+5 ㎎/㎖ dexamethasone
          1.0 cc+saline 5.0 cc
   6개월에 4회 이내 최소한 2~3주 간격으로 차단술을 시행하는 것이 원칙이다.

2. Fluoroscopy-guided technique

1) 경추의 경우, 환자를 복와위(prone position)로 하고 이마 밑에 작은 머리 받침을 한 뒤 C-arm은 축상면에서 미측으로 15~20° 회전시킨다(Figure 3). 환자의 어깨에 가려 아래쪽 경추부가 측면 촬영에서 안 보이는 경우에는 환자의 팔을 충분히 다리 쪽으로 당기도록 한다.

2) 흉추의 경우는 가시돌기의 각도로 인하여 바늘을 머리 방향으로 급격하게 삽입해야 한다는 점이 다르다. 바늘 사면(bevel)을 증상이 심한 쪽으로 두는 것이 이상적이다(Figure 4).

3) 요추부의 경우 복와위 또는 측와위로 하고 몸을 최대한 구부려 요추 전만을 감소시키고 병소로 인정되는 요추 후궁간 공간을 넓힌다.

4) 국소마취제를 피부, 피하조직과 정중에 있는 극상인대, 극간인대에 주사한다.

5) 경막외바늘을 미리 마취한 부위를 통해서 극간인대로 삽입한다.

6) 저항 소실법을 사용하여 경막외공간까지 접근한다.

7) 다면영상 하에 저항 소실을 확인한 후에 비이온성 조영제 1 cc를 주입하여 투시기로 경막외공간을 확인한다. 조영제는 두껍고 비대칭적인 양상으로 침착되고, 전후면 영상에서 경막외 지방방울 모양(epidural fat bubbles)이 종종 관찰된다.

  * 희미하게 보이거나 대칭적으로 보이는 부적절한 조영제 영상은 경막하주사를 의미한다.

  * 조영제가 빠르게 사라지는 것은 혈관내주사나 경막하주사를 의미한다.

8) 약물을 주사한 후 소량의 생리식염수를 추가로 주사한 뒤, 바늘을 제거하고 압박 드레싱을 한다.

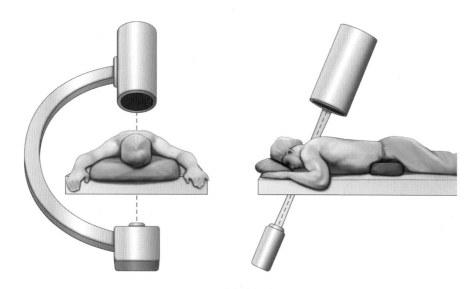

Figure 3. 경추시술 시 position

환자를 복와위(prone position)로 하고 이마 밑에 작은 머리 받침을 한뒤 C-arm은 축상면에서 미측으로 15~20° 회전시킨다.

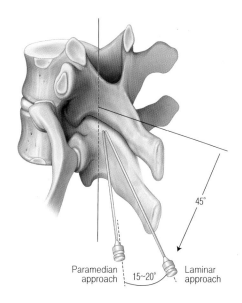

Paramedian
approach   15~20°   Laminar
approach

45°

Figure 4. 흉추 경막외주사법(thoracic epidural block technique-midline and paramedian lateral approach)
흉추는 spinous process의 각도가 급격하게 caudal 방향으로 누워져 있어 laminar approach 시에는 약 45°로 주사바늘을 눕혀서 시행해야 하며, paramedian approach의 경우에는 spinous process 옆으로 주사바늘을 전진시키기 위에 약 15~20° 정도 측방에서 주사바늘을 삽입한다.

미추 경막외주사(Caudal epidural injection)

적응증(Indication)

1. 진단적 신경차단, 수술을 위한 마취 목적
2. 급성기 통증조절 목적 – 외상 직후, 수술 후 통증조절, 대상포진, 환상지통
3. 만성적으로 유발되는 척추 관련 통증
4. 하부 복부, 요추부, 후복강, 골반, 하지 관련 통증

미추 해부학

경막외공간(epidural space)으로 들어가기 위해서는 천골열공(sacral hiatus)의 해부학적 구조를 이해하는 것이 중요하다(Figure 5).

1. Sacral hiatus

천추(sacrum)는 5개의 천골이 유합되어 이루어져 있고 미추(coccyx) 3개가 그 아래 위치해 있다. 후방중간선(posterior midline)에서 S4의 하방부위(lower portion)와 S5 전체의 불완전한 유합의 결과로 인한 자연결손(natural defect)이 존재하게 되고 이 부위를 천골열공이라 한다. 이 결손(defect) 부위

는 천미골인대(sacrococcygeal ligament)로 덮혀 있다. 천골열공은 사람에 따라 크기, 모양 및 위치 등에 다양성이 있다.

2. Sacral cornua
구멍의 외측은 이 천골각(sacral cornua)으로 둘러싸여 있으며, 바닥(floor)은 천골의 후면이 구성하고 있다. 천골각은 아래관절돌기(inferior articular process)의 잔유물(remnant)로 천골열공의 landmark로 사용할 수 있다.

3. Apex of the sacral hiatus
주로 S4 부위(65~68%)에 위치하며 S1, 2, 3, 5 부위에도 위치하는 경우도 있다. 천골열공(sacral hiatus)의 꼭지(apex)가 너무 높게 위치하는 경우 경막낭(dural sac)과의 거리가 짧아져서 미추주사(caudal injection) 시 경막천공(dura puncture) 가능성이 높아진다. 반대로 천골열공의 꼭지(apex)가 너무 낮게 위치한 경우 천미골인대(sacrococcygeal ligament)가 너무 짧아 주사가 어려워질 수 있다.

4. Dural sac
경막은 보통 S1과 S3 사이(주로 S2) 부위에 존재하며 그 아래에서는 천골 및 미추골 경막외공간 (sacral and caudal epidural space)으로 이어지고 있어 이 부위를 이용하여 미측 경막외주사를 시행 하게 된다.

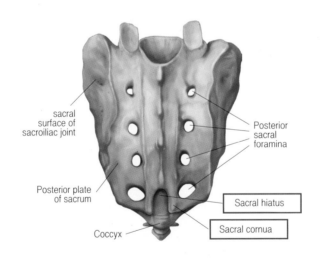

Figure 5. 천장골(sacral anatomy)
천장골의 해부학적 모습으로 caudal block 시행 시 sacral hiatus와 sacral cornu의 모양을 확인하는 것이 중요하다.

1. "Blind" technique (Figure 6)

1) 환자는 테이블에 복와위로 위치시킨 후 볼기 근육이 당겨지는 것을 막기 위해 다리와 발바닥을 외전시킨다.

2) 시술자는 장갑을 끼고 촉진을 통해 뼈의 돌출부가 있는 sacral cornua를 확인 후 그 사이에서 움푹 들어간 공간인 천골열공 부위를 촉지한다.

3) 천골열공에 45° 각도로 삽입한다. 바늘 끝의 느낌으로 천골의 후면 표면(posterior surface)을 확인 후 바늘의 각도를 변경하여 저항감이 있는 인대(ligament)를 지나는 느낌을 확인 후 주사기를 전진시킨다.

4) 주사기를 전진시키면 어느 순간 저항감이 사라지는 순간을 느낄 수 있으며 이때 국소마취제와 스테로이드 혼합약물 10 ㎖ 가량 주입한다.

5) 약물을 주사한 후 소량의 생리식염수를 주사한 뒤, 바늘을 제거하고 압박 드레싱을 한다.

* 주사를 투여하면서 주사기를 잡지 않은 손가락을 이용하여, 주사부위 천골에 손을 대어보아서 피부가 부풀어지거나, 차가워지면, 바늘이 sacral epidural space 들어간 것이 아니고, soft tissue로 injection됨을 의심해야 한다.

* 천골(sacrum)과 천골관(sacral canal) 내의 내용물의 해부학적 변이(10% 정도)는 미추 경막외주사(caudal epidural steroid injection) 시 어려움을 초래할 수 있다. 의도하지 않는 혈관내주사는 노인 환자에서 더 많아 보이는데 이는 이런 환자들에서 경막외정맥얼기(epidural venous plexus)가 S4 분절(segment) 아래까지 연장될 수 있기 때문이다.

2. Fluoroscopy-guided technique (gold standard)

1) 환자는 테이블에 복와위로 위치시킨 후 천골열공을 투시로 확인한다.

2) 투시기(fluoroscopy)의 측면상(lateral view)을 이용하여 바늘(needle)이 천골열공을 통해서 천추 경막외공간(sacral epidural space)로 들어가는 것을 확인한다.

3) 경질막낭(dural sac)이 대개 천골 2번 높이에서 끝나므로, 바늘은 천골 2번 높이까지만 위치 시킨다.

4) 바늘의 위치는 제2천추 하방에 위치시킨다. 조영제를 주입하여 조영 물질이 척추관의 경막외 부위로 퍼지는지를 확인한다.

5) 국소마취제와 스테로이드 혼합약물 10 ㎖가량 주입한다.

6) 약물을 주사한 후 소량의 생리식염수를 주사한 뒤, 바늘을 제거하고 압박 드레싱을 한다.

* 만약 시술 도중 혈액이 흡인되거나 통증을 호소하거나 약물 주입 중 저항이 증가하면 바늘의 위치가 잘못되었을 수 있으므로 위치를 재조정해야 한다. 뇌척수액이 흡인된다면 시술을 중단하고 환자를 안정시켜야 한다.

3. Ultrasound-guided technique

(PART 3~4. US guided interventional procedures의 내용 참조)

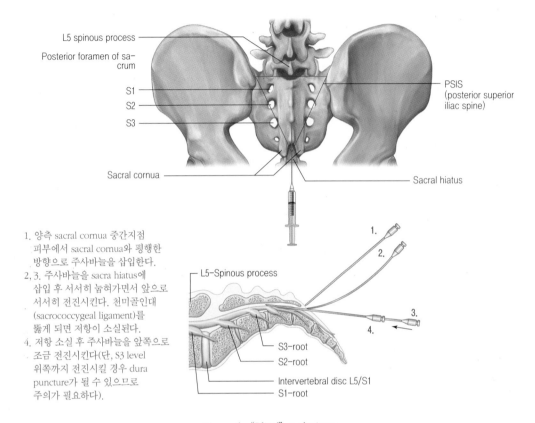

1. 양측 sacral cornua 중간지점 피부에서 sacral cornua와 평행한 방향으로 주사바늘을 삽입한다.
2, 3. 주사바늘을 sacra hiatus에 삽입 후 서서히 눕혀가면서 앞으로 서서히 전진시킨다. 천미골인대 (sacrococcygeal ligament)를 뚫게 되면 저항이 소실된다.
4. 저항 소실 후 주사바늘을 앞쪽으로 조금 전진시킨다(단, S3 level 위쪽까지 전진시킬 경우 dura puncture가 될 수 있으므로 주의가 필요하다).

Figure 6. "Blind" technique

합병증(Complication)

주사침에 의한 합병증: 경막천자, 척수손상, 신경손상, 기흉, 지주막하 주사, 경막외혈종, 경막외농양

* Shocking or lightening sensation: 바늘(needle)이 척수(spinal cord)를 천자한 경우로 절대 조영제를 주사하면 안 되며 바로 바늘을 빼야 한다. 조영제 주사 시 신경학적 후유증이 남을 수 있다.

약물에 의한 합병증: 혈관 내로 주입 시 저혈압, 뇌허혈, 척수경색
　　　　　　　　　스테로이드에 의한 일시적 혈당 상승

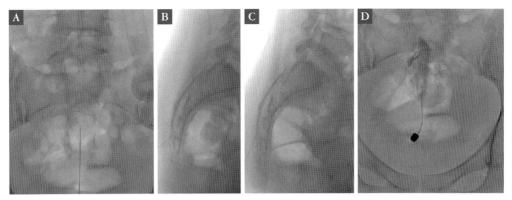

Figure 7. Fluoroscopy-guided technique

A. 양측 sacral hiatus 확인 후 fluoroscopy에서 midline을 찾는다.
B. Skin puncture는 가급적 fluoroscopy의 측면상에서 sacral canal과 평행을 이루는 피부에 시행한다.
　　주사바늘을 sacral hiatus에 삽입 후 서서히 좁혀가면서 앞으로 서서히 전진시킨다.
C. 천미골인대(sacrococcygeal ligament)를 뚫게 되면 저항이 소실되고, 저항 소실 후 주사바늘을 앞쪽으로 조금 전진시킨다.
　　(단, S3 level 위쪽까지 전진시킬 경우 dura puncture가 될 수 있으므로 S3 아래에 주사바늘을 위치시킨다)
D. 조영제를 삽입하여 epidural space가 맞는지 확인한다.

금기(Contraindication)

주사부위의 감염, 패혈증, 항응고제 치료 중이나 항응고병이 있는 경우
이전에 후궁절제술을 시행한 경우(미추 경막외주사는 가능)

보험 진료 지침

보험 코드: 분류 번호　바 22
　　　　　　　분류 코드　경추 및 흉추 LA321
　　　　　　　　　　　　　요추 및 천추 LA322

경막외신경차단술(epidural nerve block: 바-22)

일회성 경추 및 흉추 경막외신경차단술(epidural nerve block/single/cervical and/or thoracic)

　바-22 LA321
　　적응증
　　　대상포진후 신경통(G530)
　　　경추간반장애(M50)
　　　경추두개증후군(M530)
　　　경추상완증후군(M531)

척추협착(M40: 경추 M4802/흉추 M4804)

척추 불안정(M532)

기타 명시된 등병증(M538)

등통증(M54)

신경뿌리병증(M541)

경추통(M542)

목의 골절(S12)

흉추의 골절(S220)

일회성 요추 및 천추 경막외신경차단술(epidural nerve block/single/lumbar and or caudal)

바-2 LA322

적응증

복합부위통증 증후군 II형(G564)

척추 분리증(M430)

신경뿌리병증(M541)

신경뿌리 병증을 동반한 기타 척추증(M472)

척추협착(M480)

기타 추간반장애(M51)

척추 불안정(M532)

기타 척추와 관련된 상병들

신경차단술 일반사항

1. 주 2~3회 인정함을 원칙으로 하되 최초 시술부터 15회까지는 소정금액의 100%를 15회를 초과 시는 50%까지 산정함.

2. 장기간 연속적으로 실시하는 것은 바람직하지 않으며 일정기간 신경차단 후 제통이 되지 않을 경우에는 치료 방향 등을 고려하여야 하는 점 등을 감안하여 실시기간은 치료 기간당 최대 2개 월까지 인정함. 다만, 대상포진후 통증, 척추수술 실패 후 통증, 신경병증성통증, 척추손상 후 통 증, 말기암성통증인 경우에는 예외로 적용함.

3. 동일 병소에 날짜를 달리하여 서로 다른 신경차단술을 실시하는 경우에는 시술의 종류를 불문하 고 실시 횟수를 산정함.

4. 신경차단술은 마취, 동통완화 또는 치료 목적으로 시행할 경우에 산정할 수 있으며, 시술행위에 따라 소정금액을 산정하되, 동통완화 또는 치료 목적으로 실시한 경우에는 마취행위가 아니므로 소아 또는 노인가산을 할 수 없으며, 응급진료가 불가피한 경우를 제외하고는 공휴일 또는 야간 가산을 할 수 없다. 다만, 마취목적으로 시행하는 경우에는 제6장 마취료[산정지침]에 의한 가산 을 할 수 있음.

5. 동일 병소에 동시에 서로 다른 두 가지 이상의 신경차단술을 실시하는 경우에는 두 가지의 신경

차단술만 산정하되, 주된 신경차단술은 해당 소정금액의 100%를 산정하고, 제2의 신경차단술은 해당 소정금액의 50%를 산정하며, 횟수는 1회로 산정함. 다만 주 신경에서 세분된 분지신경차단을 주 신경차단과 동시에 실시하는 경우에는 주 신경차단에 따른 효과를 고려하여 주신경차단의 소정금액만 인정함.

6. C-arm 투시가 반드시 필요한 신경차단술: 건강보험심사평가원에서 자료 제출 요구 시 자료를 제출하여야 함.

    1) 바-22 관련: 경추간공 경막외신경차단술(transforaminal block)

    2) 바-23 관련: 삼차신경절, 상악신경, 하악신경, 악구개신경절

    3) 바-24 관련: 상박신경총 신경차단술

    4) 바-25 관련: 척추주위 척추관절돌기신경(facet joint), 천장관절(sacroiliac joint), 방척추신경군(paravertebral spinal nerve root), 후근신경절 신경차단술(dosal root ganglion block), 척추후지 내측지 신경차단술(post, medial branch block) 척추신경근차단술(spinal root block), 대요근구차단(psoas compartment block, blind block도 가능)

    5) 바-26나 관련: 흉요추 교감신경절(thoracolumbar sympathetic ganglion), 복강신경총(celiac plexus), 하장간막신경총(inferior mesenteric plexus), 상하복신경총(superior hypogastric plexus)

    (1) 신경차단술 시 사용한 약제(국소마취제, 스테로이드제, 조영제 등)는 "약제급여 목록 및 급여상한금액표"에 따라 실 사용량으로 신청

    (2) 유착박리제(hyaluronidase)는 비급여 산정이 가능

    (3) 스테로이드 주사제(triamcinolone acetonide, methylprednisolone acetate, betamethasone sodium phosphate 등) 사용에 대한 주의사항

        ① 허가사항 범위 내에서 환자의 증상 등에 따라 적절하게 투여 시 요양급여함을 원칙으로 함.

        ② 허가사항 범위(효능, 효과, 용법, 용량)를 초과하여 아래와 같은 경우에도 요양급여를 인정함.

        ③ 신경차단술 시 사용한 경우

        다만, 추간절 차단(facet joint block/injection) 시 사용된 triamcinolone acetonide 주사제는 1 level당 20 ㎎으로 최대 3 level (60 ㎎)까지 인정하되, 양측은 각각 최대 2 level (80 ㎎)까지 인정. 단, Triamcinolone acetonide는 사용상의 주의사항에 따라 경막외 또는 척수강내로 투여하지 않는다.

REFERENCES

1. Manchikanti L, Falco FJ, Pampati V, Hirsch JA (2014) Lumbar interlaminar epidural injections are superior to caudal epidural injections in managing lumbar central spinal stenosis. Pain physician 17:E691-702.

2. Joo J, Kim J, Lee J (2010) The prevalence of anatomical variations that can cause inadvertent dural puncture when performing caudal block in Koreans: a study using magnetic resonance imaging. Anaesthesia 65:23-26. doi: 10.1111/j.1365-2044.2009.06168.x

3. Sekiguchi M, Yabuki S, Satoh K, Kikuchi S (2004) An anatomic study of the sacral hiatus: a basis for successful caudal epidural block. The Clinical journal of pain 20:51-54.

4. Kao SC, Lin CS (2017) Caudal Epidural Block: An Updated Review of Anatomy and Techniques. Biomed Res Int 2017:9217145. doi: 10.1155/2017/9217145.

5. Aggarwal A, Aggarwal A, Harjeet, Sahni D (2009) Morphometry of sacral hiatus and its clinical relevance in caudal epidural block. Surgical and radiologic anatomy : SRA 31:793-800. doi: 10.1007/s00276-009-0529-4.

6. Aggarwal A, Kaur H, Batra YK, Aggarwal AK, Rajeev S, Sahni D (2009) Anatomic consideration of caudal epidural space: a cadaver study. Clinical anatomy (New York, NY) 22:730-737. doi: 10.1002/ca.20832.

7. Stitz MY, Sommer HM (1999) Accuracy of blind versus fluoroscopically guided caudal epidural injection. Spine 24:1371-1376.

8. Kim YH, Park HJ, Cho S, Moon DE (2014) Assessment of factors affecting the difficulty of caudal epidural injections in adults using ultrasound. Pain research & management 19:275-279.

9. Senoglu N, Senoglu M, Ozkan F, Kesilmez C, Kizildag B, Celik M (2013) The level of termination of the dural sac by MRI and its clinical relevance in caudal epidural block in adults. Surgical and radiologic anatomy : SRA 35:579-584. doi: 10.1007/s00276-013-1108-2.

10. Paulsen RD, Call GA, Murtagh FR (1994) Prevalence and percutaneous drainage of cysts of the sacral nerve root sheath (Tarlov cysts). AJNR American journal of neuroradiology 15:293-297; discussion 298-299.

11. Parkin IG, Harrison GR (1985) The topographical anatomy of the lumbar epidural space. Journal of anatomy 141:211-217.

12. Senoglu N, Senoglu M, Oksuz H, Gumusalan Y, Yuksel KZ, Zencirci B, Ezberci M, Kizilkanat E (2005) Landmarks of the sacral hiatus for caudal epidural block: an anatomical study. British journal of anaesthesia 95:692-695. doi: 10.1093/bja/aei236.

13. R. Brull AJRM, and V.W.S. Chan (2015) Spinal, epidural, and caudal anesthesia. Miller's anesthesia, RDMiller, Ed Elsevier Health Sciences:1684-1720.

14. Renfrew DL, Moore TE, Kathol MH, el-Khoury GY, Lemke JH, Walker CW (1991) Correct placement of epidural steroid injections: fluoroscopic guidance and contrast administration. AJNR American journal of neuroradiology 12:1003-1007.

15. White AH, Derby R, Wynne G (1980) Epidural injections for the diagnosis and treatment of low-back pain. Spine 5:78-86.

16. Narouze SN (2011(10)) Ultrasound-guided caudal , ganglion impar, and sacroiliac joint injections. In: Atlas of Ultrasound-Guided Procedures in interventional pain management. Springe Science + Business Media:179-189.

17. Klocke R, Jenkinson T, Glew D (2003) Sonographically guided caudal epidural steroid injections. Journal of ultrasound in medicine : official journal of the American Institute of Ultrasound in Medicine 22:1229-1232.

18. Chen CP, Tang SF, Hsu TC, Tsai WC, Liu HP, Chen MJ, Date E, Lew HL (2004) Ultrasound guidance in caudal epidural needle placement. Anesthesiology 101:181-184.

PART **2**

후지 내측지 차단술과 후관절강내 주사법

Medial branch blocks (MBB) and intra-articular injections

박상혁, 조보영

경추후관절과 후지 내측지 신경(MBB)

적응증(Indication)

1. 경추후관절증후군(cervical facet syndrome)의 증상 및 부위별 증상(Figure 1)
   목 운동범위의 제한 및 휴식이나 잘 때 경추부 통증
   무거운 물체를 목이나 어깨에 지고 있는 듯한 느낌
   후굴시 목 뒤 통증, 후관절 압박통
   견갑골 사이나 어깨에 무거운 통증 및 방사통
2. 편타성 손상(whiplash injury) 등 과거 외상력과 경추 운동 동작에 따른 통증의 악화
3. 일반사진에서나 정밀 검사에서 경추 디스크 변성과 경추 후관절 퇴행성 변화 또는 비후 소견, 신경근 증상과 맞지 않은 통증
4. 경추부 추간반 탈출과 다른 통증: 어깨나 등 부위 주변에서 방사통이 나타날 수도 있지만 팔이나 손가락으로는 방사통이 나타나지 않음
6. 의심부위 후관절에 소량의 국소마취제를 주입하여 통증의 소실 여부를 확인

후관절증후군 원인
1. 교통사고, 낙상, 스포츠 등에 의한 경추부 손상력
2. 경추부 관절염
3. 비만
4. 흡연
5. 영양상태 불량(malnutrition)
6. 신체활동 부족 또는 일과 활동 부족

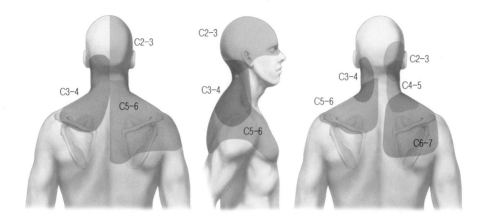

Figure 1. 경추부 후관절통증의 연관통 패턴
(facet joint pain referral patterns for cervical facet joints C2-3 through C6-7)

C2,3 Facet joint: occipital headache and associated pain

C3,4,5 Facet joint : Pain around the neck

C5,6 Facet joint : Upper shoulder, shoulder upper part or lower cervical vertebrae

C6,7 Facet joint : The entire scapula, especially the lower cervical and thoracic vertebrae

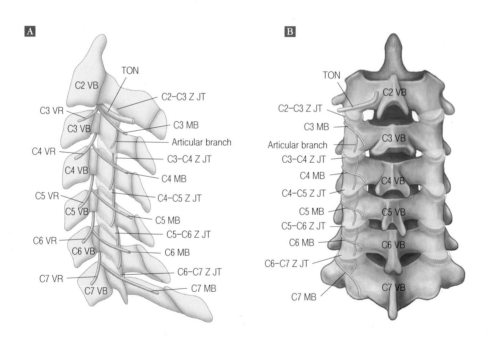

Figure 2. 경추부 후관절의 신경분포

A. A lateral view of cervical spine showing variable locations of medial branches. At C3, location of C3 deep medial branch is shown. C5 medial branch is located in the middle of the articular pillar; at C6 and C7, medial branches are located progressively higher.

B. An anteroposterior view of cervical medial branche

술기(Procedure)

1. 치료부위 위치를 C-arm 전후상(AP view), 측면상(lateral view)을 통해 확인한다.
2. 관절주(articular pillar)의 허리부위를 목표지점으로 하여 주사침을 삽입한다(Figure 3, 4).
3. 목표지점으로 주사침을 진입시킬 때는 주사침의 탄성을 이용하거나 끝을 구부리고 주사침을 회전시켜 방향을 바꿀 수 있다.
4. 탐침을 진행하여 일단 뼈에 닿으면 중지하고 소량의 조영제를 주입하여 혈관 내로 흘러 들어갔는지를 확인한다. 조영제가 혈관으로 흘러 들어가면 탐침을 다시 후진시켜 다른 곳에 위치시키도록 하고 역시 조영제로 탐침과 혈관과의 관계를 규명한다.
5. 각 관절은 인접한 두 상부경추 내측지신경의 하행분지(descending branch)와 바로 아래 하부경추의 상행분지(ascending branch)가 공동으로 관절에 신경분포를 하고 있다. 효과적인 신경차단을 위해서는 세 분지를 모두 차단해야 한다.
   예: 가장 흔한 후관절통의 원인인 C5-6 후관절을 차단하기 위해서는 C4, 5, 6 신경근에서 나오는 내측지신경을 모두 차단해야 한다.
6. 바늘 끝에서 관절면이 닿는 느낌을 확인 후 C-arm의 전후상이나 사위상을 다시 확인하여 정확한 바늘의 위치를 확인 후 약물을 투여한다(Figure 5).
7. 약물은 치료 점마다 0.5 ㎖의 로피바카인(0.2% or 0.75%), 0.5% 부피파카인 또는 4% 리도카인을 스테로이드와 혼합하여 주입한다.

환자 자세: prone position, lateral position, sitting position 중 환자 및 시술자의 편의에 따라 설정
사용 약제: 로피바카인(0.2% or 0.75%), 0.5% 부피파카인 또는 4% 리도카인(상황에 따라 용량 선택)
　　　±스테로이드

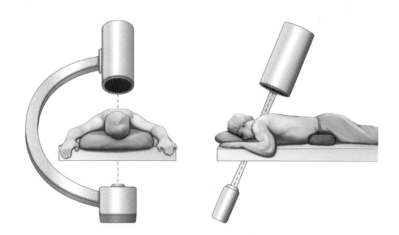

Figure 3. 경추부 후관절주사를 위한 복와위 자세
The patient is placed prone with a small headrest under the forehead to allow for air flow between the table and the patient's nose and mouth. The C-arm is angled 25 to 35 degrees caudally from the axial plane.

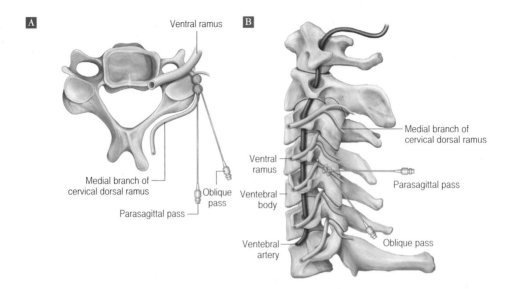

Figure 4. 경추부 후관절주사를 위한 바늘의 위치와 각도

A 22-gauge spinal needle is advanced in the sagittal plane overlying the facet joint
with 25 to 35 degrees of caudad angulation from the axial plane

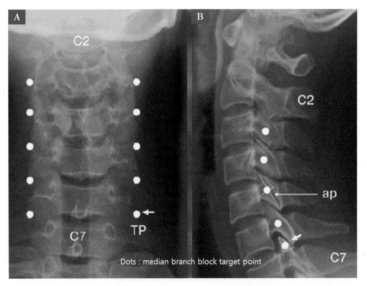

Figure 5. 경추부 후관절차단술을 위한 치료 포인트

A. An anterior-posterior radiograph shows the dots which rest on the concave lateral surface of the articular pillar (ap) of
the each cervical vertebrae.

B. A lateral view of the cervical spine. The dot shown by the thin arrow indicated the target point for block of the C5
medial branch which rests on the intersection point of two crossing lines.

A & B. The target point of the C7 medial branch rests on upper border of the transverse process (TP) in the AP view and
the superior articular process in the lateral view (the thick arrow).

* 주의점

1. 비교적 안전한 신경차단술의 한 종류이나, 작은 혈관 손상에 의한 피고임이 있을 수 있으므로 주사 후 출혈 정도를 파악하고 압박을 잠시 해주는 것이 좋다.
2. 바늘을 거치 후 약물 주입 전 살짝 음압을 주어 혈류가 역류하지 않는지 확인 후 천천히 약물을 주입한다.
3. 초기 약물 주입 시 환자의 다른 반응이 없는지 대화와 모니터링을 통해 확인한다.
4. 의식 하 치료가 기본 진행사항으로, 진정제가 필요하다면 최소화한다.
5. 신경차단술 전에 환자의 청결을 확인하는 것이 감염 예방에 도움이 된다.
6. NSAIDs는 치료 5일 전 끊는다. 하지만 대부분 복용 하에 치료해도 무방하다.
7. 아스피린 및 혈소판 응고 억제제 사용 환자는 치료 7일 전 복용 중지한다.
   아스피린은 내측지 신경차단술에서 복용 하에 치료하는 데 문제가 될 소지는 적다.
8. 고혈압 심장질환 환자들의 다른 투약은 지속한다.

금기 및 합병증(Contraindication & Complication)

금기
1. 시술부위나 전신적 감염
2. 원발성 응고장애나 항응고제 투여
3. 임신 중

합병증
1. 감염
2. 출혈, 혈종
3. 척수 또는 신경근 손상

요추 후관절과 후지 내측지 신경(Lumbar facet joint and median branch nerves)

적응증(Indication)

1. 후관절 질환의 통증 분포 양상은 주로 척추 주위부의 통증과 더불어 둔부(buttocks, hip, groin)와 하지(back of the thighs)에 광범위하게 퍼지면서 심부에서 느낄 수 있는 연관통을 보이는 것이 특징이다.
2. 환자는 아침에 첫 움직임이 어렵고 오후가 되면 다소 완화된다.
3. 엉치와 다리 쪽으로 연관통을 보이지만 무릎 이하로는 통증이 뻗치지는 않는다.
4. 이학적 검사에서 후관절 주위의 압통과 함께 옆구리와 엉치 쪽으로 무겁고 때로 시린 증상을 재

8. 모든 위치에서 바늘 끝에서 관절면이 닿는 느낌을 확인 후 C-arm의 전후상을 다시 확인하여 정확한 바늘의 위치를 확인 후 약물을 투여한다.

9. 약물은 치료 점마다 0.5 ㎖의 로피바카인(0.2% or 0.75%), 0.5% 부피바카인 또는 4% 리도카인을 스테로이드와 혼합하여 주입한다.

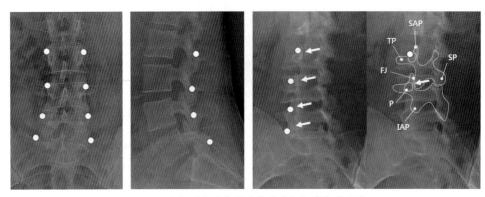

Figure 8. 요추 내측지와 후관절 차단술을 위한 치료점:
Scottie dog sign을 찾아 치료한다면 어렵지 않게 접근할 수 있다.
←: facet joint injection target point, • : median branch block target point, TP: transverse process,
SAP: superior articular process, IAP: inferior articular process, P: pedicle, SP: spinous process

* 주의점

1. 비교적 안전한 신경차단술의 한 종류이나, 작은 혈관 손상에 의한 피고임이 있을 수 있으므로 주사 후 출혈 정도를 파악하고 압박을 잠시 해주는 것이 좋다.

2. 바늘을 거치 후 약물 주입 전 살짝 음압을 주어 혈류가 역류하지 않는지 확인 후 천천히 약물을 주입한다.

3. 초기 약물 주입 시 환자의 다른 반응이 없는지 대화와 모니터링을 통해 확인한다.

4. 의식 하 치료가 기본 진행사항으로, 진정제가 필요하다면 최소화한다.

5. 신경차단술 전에 환자의 청결을 확인하는 것이 감염 예방에 도움이 된다.

6. NSAIDs는 치료 5일 전 끊는다. 하지만 대부분 복용 하에 치료해도 무방하다.

7. 아스피린 및 혈소판 응고억제제 사용 환자는 치료 7일 전 복용 중지한다.
   아스피린은 내측지 신경차단술에서 복용하에 치료하는 데 문제될 소지는 적다.

8. 고혈압 심장질환 환자들의 다른 투약은 지속한다.

금기 및 합병증(Contraindication & Complication)

금기
1.시술부위나 전신적 감염
2. 원발성 응고장애나 항응고제 투여
3. 임신 중

합병증
1. 감염
2. 출혈, 혈종
3. 척수 또는 신경근 손상

보험 진료 지침

보험 코드: 분류 번호 바-25
분류 코드: 경신경총(superficial cervical plexus) LA251
　　　　　　방척추신경 (paravertebral nerve) LA252
　　　　　　미골신경(coccygeal nerve) LA253
　　　　　　선택적 신경근(selective spinal nerve root) LA354
　　　　　　척추후근신경절(dorsal root ganglion, DRG) LA355
　　　　　　척수회백신경교통지(gray rami communicans) LA356
　　　　　　요천골신경총(lumbar or sacral plexus) LA253
　　　　　　척수신경후지(posterior division od spinal nerve) LA357
　　　　　　후지내측지(posterior medial branch) LA358
　　　　　　추간관절차단(facet block) LA359

선택적 신경근차단술 적응증
특정 신경근이 그 질환에 관여한다고 의심할 때 실시한다.
복합부위통증 증후군 II형(G564)
척추분리증(M430)
척추전방전위증(M431)
신경뿌리병증(M541)
신경뿌리 병증을 동반한 기타 척추증(M472)
척추협착(M480)
기타 추간반장애(M51)
척추 불안정(M532)

후지내측지 차단술의 적응증

신경 뿌리 및 신경총 장애(G54)

척추분리증(M430)

척추전방전위증(M431)

신경뿌리 병증을 동반한 기타 척추증(M472)

척추협착(M480)

기타 추간반장애(M51)

척추 불안정(M532)

기타 척추와 관련된 질병들

척수신경총, 신경근 및 신경절 차단술 수가 산정

1. 분절(level) 적용 차단술

　　1) 해당 항목: 선택적 신경근, 척추후근신경절, 척수회백신경교통지, 후지내측지, 추간관절차단

　　2) 편측 실시 시

　　　　제1분절(level)은 소정 점수의 100%를 산정하고, 제2분절(level)부터는 소정 점수의 50%를 산
　　　　정하되 최대 3분절(level)까지(최대200%)

　　3) 양측 실시 시(또는 편측과 양측 동시 실시 시)

　　　　제1분절은 소정 점수의 150%(100%+50%),제2분절부터는 좌우 각 50%를 산정하되 3분절을 초
　　　　과하여 시술하더라도 3분절 이내에서 최대 300%까지 산정

2. 분절(level) 미적용 차단술

　　1) 해당 항목: 경신경총, 방척추신경, 미골신경, 요천골신경총, 천장관절, 척수신경후지

　　2) 편측 실시 시: 소정 점수의 100% 산정

　　3) 양측 실시 시: 소정 점수의 150%(100%+50%) 산정

REFERENCES

1. Adams MA, Hutton WC. Effect of posture on the role of the apophyseal joints resisting intervertebral compressive force. JBone Joint Surg 1980; 62B: 358-362.

2. Bogduk N. International Spine Intervention Society. In: Practice guidelines for spinal diagnostic and treatment procedures. 1st ed. San Francisco: International Spine Intervention Society; 2004.

3. Derby R, Kim BJ, Lee SH, Chen Y, Seo KS, Aprill C. Comparison of discographic findings in asymptomatic subject discs and the negative discs of chronic LBP patients: can discogra-phy distinguish asymptomatic discs among morphologically abnormal discs? Spine J 2005;5:389-394.

4. Enthoven P, Skargren E, Oberg B: Clinical course in patients seeking primary care for back or neck pain: a prospective 5-year follow-up of outcome and health care consumption with subgroup analysis. Spine 2004; 29: 2458-65.

5. Higuchi K, Sato T. Anatomical study of lumbar spine innervation. Folia Morphol (Warsz) 2002;61:71-79.

6. Jackson RP. The facet syndrome, myth or reality? Clin Orthop 1992; 279: 110-121.

7. Korean Spinal Neurosurgery Society. The textbook of spine.Seoul: Koonja Publishing Company; 20

8. Kirpalani D, Mitra R: Cervical facet joint dysfunction: a review. Arch Phys Med Rehabil 2008; 89: 770-4.

9. Manchikanti L, Singh V, Rivera J, Pampati V: Prevalence of cervical facet joint pain in chronic neck pain. Pain Physician 2002; 5: 243-9

10. Masini M, Paiva WS, Araujo AS Jr. Anatomical description of the facet joint innervation and its implication in the treatment of recurrent back pain. J Neurosurg Sci 2005;49:143-146.

11. Manchikanti L, Singh V, Falco FJ, Cash KM, Fellows B: Cervical medial branch blocks for chronic cervical facet joint pain: a randomized, double-blind, controlled trial with one-year follow-up. Spine 2008; 33: 1813-20.

12. Robert R, Raoul S, Hamel O, Doe K, Lanoiselee JM, Berthelot JM, Caillon F, Bord E. Chronic lower back pain: a new therapeutic approach. Neurochirurgie 2004;50(2-3 Pt 1):117-122.

13. Slipman CW, Bhat AL, Gilchrist RV, Issac Z, Chou L, Lenrow DA. A critical review of the evidence for the use of zygapophysial injections and radiofrequency denervation in the treatment of low back pain. Spine J 2003;3:310-316.

14. Shin WR, Kim HI, Shin DG, Shin DA. Radiofrequency neurotomy of cervical medial branches for chronic cervicobrachialgia. J Korean Med Sci 2006;21:119-125.

15. Schwarzer AC, Wang SC, Bogduk N, McNaught PJ, Laurent R: Prevalence and clinical features of lumbar zygapophysial joint pain: A study in an Australian population with chronic low back pain. Ann Rheum Dis 54:100-106, 1995

16. Schwarzer AC, Aprill CN, Derby R, Fortin J, Kine G, Bogduk N:The false-positive rate of uncontrolled diagnostic blocks of the lumbar zygapophysial joints. Pain 58:195-200, 1994.

17. Schwarzer AC, April CN, Derby R, Fortin J, King G, Bogduk N.Clinical features of patients with pain stemming from the lumbar zygapophysial joints. Is the lumbar facet syndrome a clinical entity? Spine 1994; 19: 1132-1137.

18. Zdeblick TA. The treatment of degenerative lumbar disorders. A critical review of the literature. Spine 1995; 20: S126-137.

19. Ko et al. Interventional therapy for chronic low back pain. J Korean Med Assoc 2012 June; 55(6): 562-570.

20. Shin et al. Nonoperative interventions for spinal pain. J Korean Med Assoc 2014 April; 57(4):308-317.

21. Kim et al. 척추후관절통증후군. Korean J pain 2008. Vol.21.

04

경추성두통의 중재술

Cervical injections for cervicogenic headache

유찬종, 오성훈

후두신경차단술(Greater and lesser occipital nerve block)

적응증(Indication)

1. 좌우 교대가 없는 편측 두통
2. 목과 관련된 증상 및 징후: 통증을 유발하는 목의 움직임 혹은 자세 그리고/또는 후두부 또는 후두부의 외압에 의해 유발되는 통증; 동측 목, 어깨 및 팔 통증; 동작 범위 감소
3. 불특정한 지속시간 혹은 지속적인 동요성 통증

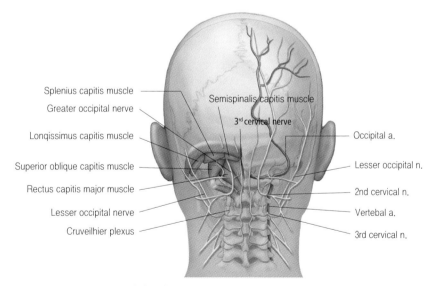

Figure 1. 후두신경 분포(greater and lesser occipital nerve, 3rd occipital nerve)

4. 지끈거리지 않는 중등도의 통증

5. 목에서 시작하여 안구-전두엽 영역으로 퍼지는 통증

6. 신경차단술에 효과가 있는 통증

7. 다양한 발작 병력: 자율신경 증상 및 징후, 메스꺼움, 구토, 동측 주변부의 동측 부종 및 홍조, 현
   기증, 광공포증, phonophobia 또는 동측 눈의 흐린 시력

* 기준 7가지 중 1, 5가 충족되면 경추성두통을 의심할 수 있으며, 추가로 나머지 5개 중 3가지 기준의
  증상이 있으면 경추성두통으로 진단할 수 있다.

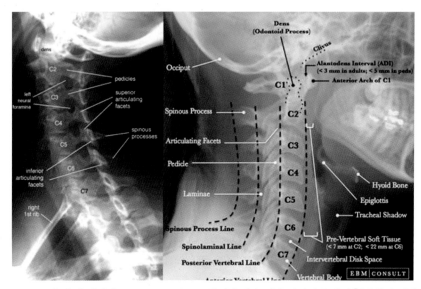

Figure 2. 측면 및 사위각(oblique view)으로 촬영한 단순 경추 방사선사진 및 해부학적 명칭

환자 자세: prone position, lateral position, sitting position 중 환자 및 시술자의 편의에 따라 설정
사용 약제: 2% lidocaine 1.0~3.0 ㎖(상황에 따라 용량 선택)±스테로이드

술기(Procedure)

큰 후두신경차단술(greater occipital nerve injection)(Figure 3)

1. 22 G 바늘을 외측 후두부 돌출부에서 유양돌기와 선을 그어 후두돌출부에서 1/3 부분(약 2 ㎝
   측면과 2 ㎝ 아래 부위)에 삽입한다.

2. 뒤통수 뼈와 바늘을 접촉시킨 후, 바늘을 약 0.5 ㎝ 후퇴한다.

3. 2% lidocaine 적당량을 주입한다.

4. 동측 두피의 감각 결손 평가로 큰 후두신경에 주사가 정확하게 들어갔는지 확인한다.

작은 후두신경차단술(Lesser occipital nerve injection)(Figure 3)

1. 22 G 바늘을 외측 후두부 돌출부에서 유양돌기(mastoid process)와 선을 그어 후두돌출부에서 2/3 부분에 바늘을 삽입한다.
2. 뒤통수 뼈와 바늘을 접촉시킨 후, 바늘을 약 0.5 ㎝ 후퇴한다.
3. 2% lidocaine 적당량을 주입한다.
4. 동측 두피의 감각결손 평가로 작은 후두신경에 주사가 정확하게 들어갔는지 확인한다.

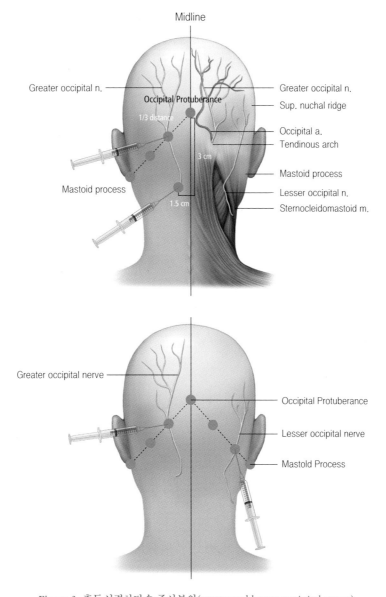

Figure 3. 후두신경차단술 주사부위(grater and lessor occipital nerve)

합병증(Complication)

혈관천자, 혈종, 감염
출혈이나 시술 후 통증에 대하여서는 해당 부위에 20분 정도 아이스 팩을 적용한다.

보험 진료 지침

보험 코드: 분류 번호 바 24
　　　　　　분류 코드 LA241
적응증
　후두계곡 악성 신생물(C100)
　편두통(G43)
　기타 두통증후군(G44)
　긴장성두통(G442)
　경추두개증후군(M530)
　경추상완증후군(M531)
　후두신경차단술을 양측으로 실시하는 경우 차단술 150%로 산정함.

제3후두신경차단술(3rd nerve block)

적응증(Indication)

후두신경차단술에 준함.

술기(Procedure)

1. C형 방사선 투시기를 환자의 우전방에 위치시켜 경추부에 후전상(posteroanterior view), 측면상, 사위상(oblique view)를 보면서 바늘 삽입 위치를 찾는다.
2. 측면사진에서 경추 2, 3번의 관절주(articular pilla)의 중심을 지난 선을 긋고 경추 2, 3번 신경공내에서 경추 3번의 상관절의 위쪽 끝, 중심, 아래 쪽 끝을 지나는 선을 그것을 때 교차하는 점에 각각 23 G 또는 25 G 바늘을 삽입한다(Figure 4).
3. 경추부에 후전상(posteroanterior view), 측면상, 사위상(oblique view)를 보면서 삽입된 바늘 위치를 확인한다.
4. 주사 전에 음압을 걸어 경막내로 마취제가 주입되는 것을 예방하여야 하며 조영제를 주사하여 위치를 확인한다.

5. 2% lidocaine 적당량을 주입한다.

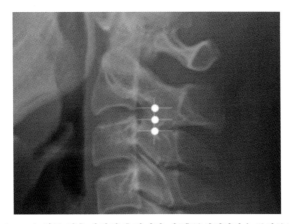

Figure 4. 상부 경추 방사선 측면에서 제3후두신경차단술 주사부위

경추 2, 3번의 관절주(articular pilla)의 중심을 지난 선을 긋고 경추 2, 3번 신경공 내에서 경추 3번의 상관절의 위쪽 끝, 중심, 아래쪽 끝을 지나는 선을 그었을 때 교차하는 점에 놓이고 2, 3경추 추간공의 바에 각각 23 G 또는 25 G 바늘을 삽입한다.

* 주의점

바늘 삽입 후 음압을 걸어 뇌척수액 나오는지 여부 확인 및 조영제를 투여하여 확인 후 리도카인 주입한다. 스테로이드를 쓸 경우 입자가 작은 베타메타손이나 덱사메타손을 사용한다(트리암시놀론 사용금지).

합병증(Complication)

혈관천자, 국소적 출혈이나 멍, 감염, 경막손상, 두통 또는 방사통, 척수손상, 척수경색, 마비, 의식 저하

보험 진료 지침

보험 코드: 분류 번호 바 24

　　　　　분류 코드 LA243

적응증

　기타 두통증후군(G44)

　긴장성두통(G442)

　경추두개증후군(M530)

　경추상완증후군(M531)

　외상성두통(편타성 손상) 상부 경추 두통

　신경차단술을 양측으로 실시하는 경우 차단술 150%로 산정함.

REFERENCES

1. Cervicogenic Headache. Michael A. Seffinger Raymond J. Hruby, in Evidence-Based Manual Medicine, 2007.
2. Nerve Blocks of the Head and Neck. Kenneth D. Candido, Miles Day, in Practical Management of Pain (Fifth Edition), 2014.
3. Cervical Injections. Benjamin P. Lowry, Adam M. Savage, in Pain Management and Palliative Care : A comprehensive Guide, 2015.
4. Cervicogenic headache. Samer Narouze, in Essentials of Pain Medicine (Third Edition), 2011.
5. Cervicogenic headache: Techniques of diagnostic nerve blocks. J.A. van Suijlekom, W.E.J. Weber, M. van Kleef, Clin Exp Rheumatol 2000: 18 (Suppl. 19): S39-S44.
6. Nonoperative interventions for spinal pain. Dong Ah Shin, Hyoung Ihl Kim, J Korean Med Assoc 2014;57(4): 308-317.

P A R T **2**

05

천장관절 주사

Sacroiliac joint injections: SIJB and DILB

문봉주, 최순규

천장관절 차단술

적응증(Indication)

천장관절 신경차단술을 하기 위해서는 천장관절이 환자 통증의 원인인지 여부를 알 필요가 있다. 따라서 천장관절 신경차단술에 대한 고려는 유발 검사들에 대한 양성 반응에 근거해야 한다. 천장관절 유발검사들 중 세 가지 이상 양성 반응은 관절내 천장관절 신경차단술의 가장 좋은 예측 인자이다.

 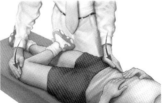 

Gaenslen test	Patrick test	Yeoman test

술기(Procedure)

1. 영상학적 촬영(fluoroscopy or CT scan)은 관절 내 배치를 확인하기 위해 필수적으로 시행해야 한다.
2. 리도카인(lidocaine 1% or 2%, 4%), bupivacaine (0.5% or 0.75%), 스테로이드 등이 관절 내 마취를 위해 주로 사용되며 환자의 장골능에 베개를 대고 엎드린 자세로 위치시킨 뒤 C-arm을 통해 천장관절의 아래 부분을 확인한다.

3. C-arm을 안쪽, 바깥쪽으로 조절을 하여 관절의 가장 아래 부분 최적의 영상을 찾는다(Figure 1, 2). 이상적인 영상은 관절의 아래면이 평행할 때이다. 환자의 처음 자세가 어떤가에 따라 더 안정적인 시술을 시행할 수 있다.

4. 영상 확인을 통해 위치를 확인한 후 해당 부위를 멸균시키고 영상 유도하 22-inch 5" 척추 탐침을 목표지점으로 진행시킨다.

5. 관절이 천자되면 탁 터지는 느낌을 느낄 수 있으며 침을 관절의 아래 부분에 적절히 위치시킨 뒤(Figure 3), 소량의 조영제(0.3~0.5 ㎖)를 관절 내로 주사한다. 적절한 위치라면 관절강 내로 조영제가 퍼지는 것을 확인할 수 있다(Figure 4, 5).

6. 조영제와 마취제의 주입량에 대해 정해진 기준은 없지만 천장관절의 제한된 수용력을 감안할 때 다음 기준이 도움이 될 수 있다.

다음 기준에 달할 때까지 마취제를 사용한다.

1) 종말점에 도달했음이 확실히 느껴질 때

2) 관절강 밖으로 새어나가는 것이 보일 때

3) 최대 용량인 2.5 ㎖에 달했을 때

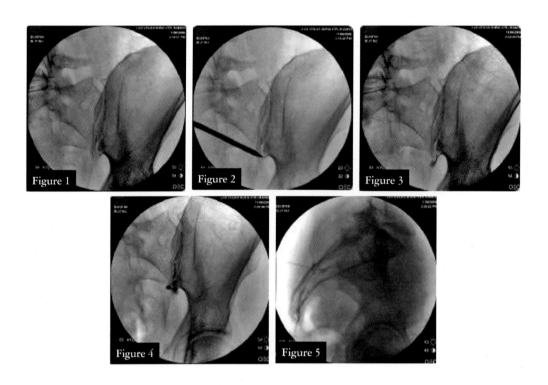

Figure 1

Figure 2

Figure 3

Figure 4

Figure 5

해부학(anatomy)

골반은 두개의 장골(ilia)와 천골(sacrum)으로 구성되어 있으며, 천골과 장골 사이에 천장관절이 있다. 천장관절은 요추보다 생체 역학적으로 안쪽을 향한 하중은 6배 더 크지만 비틀림은 절반 정도, 축 방향 압축 하중은 1/20 정도이다. 관절은 상체의 모든 하중을 천장관절을 통해 골반에 전달하게 되는데 천장관절은 신체에서 가장 큰 축 방향 관절(17.5 ㎠)이다. 관절의 앞쪽에는 두꺼운 유리연골이 늘어서 있고, 관절의 뒤 장골 측면에는 섬유연골이 늘어서 있다. 교차점의 나머지 부분은 인대 연결 세트라 할 수 있다(Figure 6, 7).

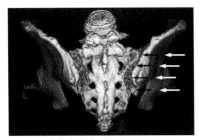

Figure 6. 천장관절의 해부학(posterior view)

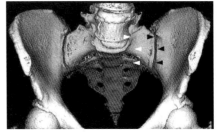

Figure 7. 천장관절의 해부학(anterior view)

신경분포(Figure 8)

천장관절의 신경지배는 매우 복잡하다.
대부분은 다음과 같이 알려져 있다.
- L4, L5, S1-3 척수 신경의 등 쪽 가지의 내측 분지에서 후방 신경분포
- L4-S2 복부 쪽 가지로부터 앞쪽 신경분포

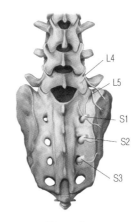

Figure 8.
천장관절의 신경지배 모식도

합병증(Complication)

1. 주사제가 효과가 없을 수 있음
2. 시술 부위에 멍이 들 수 있음
3. 스테로이드로 인해 안면 홍조 및 부종이 2~3일간 지속될 수 있음
4. 월경 주기에 영향을 줄 수 있음
5. 주사제로 인한 염증이 생길 수 있으나 매우 드묾

금기증(Contraindication)

절대적 금기증
1. 환자가 주사 치료를 거부하는 경우
2. 사용제에 저명한 알러지 반응이 있었던 경우: 국소마취제의 보고된 알러지 반응은 일반적으로 방 부제에 의한 것이므로 일회용 마취제제는 일반적으로 알러지 없이 사용할 수 있다.
3. 악성종양

상대적 금기증
1. 울혈성 심부전
2. 조절되지 않는 당뇨병
3. 임신
4. 시술할 부위의 전신 혹은 부분 염증 출혈장애 혹은 항응고제를 복용하는 경우(예: 환자가 혈액 희석제나 여러 항염증제를 복용 중인 경우)

보험질병 코드

M25.55

M47.27, M47.28, M47.29

M48.08, M48.09

M54.48, M54.58

* 천장관절(sacroiliac joint, SI)은 천골(요추 밑)과 장골(엉덩뼈) 사이에 있는 관절이다. 이 관절에서 비롯된 통증은 매우 흔하며 종종 여러 환자의 통증의 근원이 된다. 통증은 종종 날카롭고 찌르는 듯한 느낌에서 둔감하고 시려운 증상으로 묘사되는데, 때때로 궁둥이, 엉덩이, 요추, 그리고 종종 다리 아래쪽 통증과 관련이 있다. 징후, 증상, 영상촬영 및 신체검사를 토대로 이 주사가 시행된다.

요추 융합 혹은 비슷한 기계적 변화와 관련된 환자의 1/3 정도가 천장관절 기능장애/통증증후군으로 이어지는데, 이 만성요통증후군은 국소화 및 진단하기가 어려울 수 있다. 천장관절은 상체 안정성과 골반 및 하체 안정성을 이어주고 있어 이 관절의 통증은 적절하게 치료되어야 한다. 천장관절 통증증후군은 경미한 외상을 비롯한 다양한 원인으로 인한 요통 환자의 25~40% 정도를 차지하며 천장관절 통증 환자의 39%는 허리 통증이 있는 것으로 보고된다. 천장관절 통증은 허리, 엉덩이, 복부, 사타구니 또는 다리로 방사될 수 있다.

때때로 천장관절에 통증이 있는지 판단하는 가장 좋은 방법은 이 관절에 약을 주입해 통증이 완화 되는지 확인하는 것이다. 이를 위해 천장관절차단술은 의사가 통증이 그 관절에서 오는 것인지 알 수 있게 해주는 진단 및 치료용 블록이며, 또한 관절에 스테로이드를 놓아 더 오래 통증을 완화시킬 수 있다. 블라인드 주사는 천장관절의 관절 내의 정확한 주입이 힘들기 때문에 이 차단술은 항상 X-ray

하에서 시행된다(블라인드 주사의 경우 관절 내 정확한 주입이 15% 미만).

시술 후에는 시술 부위에 하루에서 이틀가량 얼음을 대주는 것이 통증을 경감시킬 수 있으며 다른 시술자가 금지하지 않는 경우 즉시 PT를 시행할 수 있다.

시술 후 환자에게 기존의 통증을 유발시킨 행위(예: 앉기, 서기, 걷기, 계단오르기 등)를 시행해보도록 하고 통증 경감이 50% 미만인 경우에는 효과가 없음, 50~75%인 경우에는 확실치 않음, 75% 이상인 경우에는 효과가 있다고 본다.

몇몇 지침에서는 위양성을 배제하기 위해 2차 시술을 추천하기도 한다.

심부골간 인대차단술

적응증(Indication)

천장관절 통증 환자는 척추 축 통증의 다른 원인과 구별하기 힘든 경향이 있으며 통증 부위가 천장관절의 위쪽, 요천골 근처에서는 정중선 옆쪽 부위에 있다고 보고되고 있다.

Patrick test (or faber test)는 천장관절통을 재현할 수 있어 유용하다.

1. 진단 목적

   허리 통증의 병인으로 천장관절을 조사하기 위한 진단법
2. 치료 목적

   천장허리천추인대의 부전증(iliolumbosacral ligamentous insufficiency)으로 인한 천장관절 통증 환자를 치료하기 위한 치료법

술기(Procedure)

1. 환자는 엎드린 자세를 취한다. 다리는 천장관절에 더 잘 접근할 수 있도록 내회전 및 내전시킨다.
2. 양측 후상장골극과 천골각은 촉진으로 확인하고 피부에 표시한다(Figure 9).

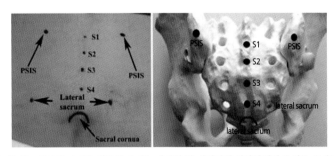

Figure 9. 환자는 엎드린 자세를 취하고 다리는 내회전 및 내전시켜 천장관절의 촉지를 용이하게 한다. 피부 위로 양측으로 돌출된 뼈는 PSIS이며 이를 촉지하면서 그림과 같은 해부학 위치를 예상할 수 있다.

두 개의 뼈의 윤곽 사이의 갈라진 틈은 천장관절의 위치인데, 후상장골극와 아래 관절 사이에 선을 그리면 관절선이 된다.

3. 이 시술에 삽입된 관절의 구성요소는 등쪽 골간 인대이다. 이것은 S1/S2 레벨에서 발견되며 S1과 S2의 가시돌기가 확인되고 표시를 한다.

4. 치료주사는 이 레벨에서 시행한다(Figure 10).

5. 개개인의 SIJ 각도가 변함에 따라 바늘의 각도가 바뀌지만 일반적으로 45°에서 65° 사이가 될 것이다.

6. Lidocaine 1%를 사용하여 피부에 대한 초기 주사와 트랙을 따라 최종 주사가 수행된다. 이 초기 트랙은 SIJ (sacroiliac joint)의 DIOL (diffuse interosseous ligament)에 치료주사를 수행할 때 이용된다(Figure 11).

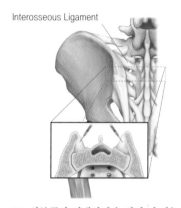

Figure 10. 심부골간 인대차단술 위치 및 바늘의 방향

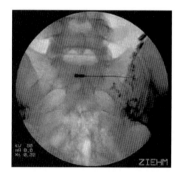

Figure 11.
초기 주사 진입 후 트랙을 따라 최종 주사치료를 시행하게 된다.다음과 같이 조영제가 심부골간 인대를 따라 퍼진 것을 확인할 수 있다.

해부학(anatomy)

천장관절은 내측의 천골과 측면의 장골로 형성된 한 쌍의 구조인데 이 관절은 척추 부분을 골반과 하지에 연결하는 주요 하중 지지대이다(Figure 12).

관절의 전방 1/3은 진정한 활액관절이며, 작은 활액관절은 천장관절의 가장 후방 및 하부로 확장되어 관절내주사를 위한 점 접근을 가능하게 한다.

관절의 후방 2/3은 인대 연결로 이루어져 있고, 주로 후관절 경계에서 골간의 천장인대에 의해 형성되어 있다. 다른 안정화 구조는 긴 등쪽 엉치엉덩 인대(sacroiliac ligament)와 엉치결절인대(천골결절인대, sacro-tuberous ligament), 넓은등근(latissimus dorsi), 등허리근막(thoraco-lumbar fascia) 및 큰볼기근(대둔근, gluteus maximus)이다.

관절의 방향은 사람마다 다르며, 천장관절 차단술이 시행되는 관절하부는 관절면이 시상면에서 0~30° 기울어져 있다.

천장관절에는 광범위한 비경막 섬유가 있다. 전방 부분은 L2-S2 뿌리의 복부 가지에서 파생되며, 후부는 L4-S3 뿌리의 등쪽 가지에서 파생된다.

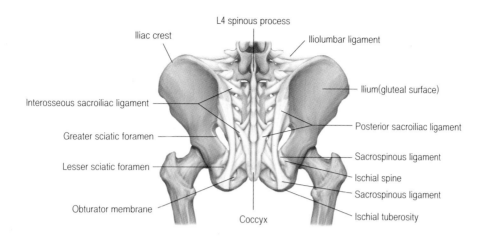

Figure 12. 천장관절의 해부학 명칭(anatomy & nomenclature)

* 주의점
1. 주사 전에 항상 역출하여 출혈 또는 공기가 없는 것을 확인한다.
2. 심부골간인대차단술의 합병증은 매우 드물며 주로 기술이 좋지 않아 발생한다.
   가장 흔한 부작용은 주사 후 며칠 동안 지속되는 통증의 악화이며, 주사하는 동안 연조직의 팽창으로 인한 것일 수 있다. 그러나 대부분 경증이며 자발적으로 회복된다.
3. 주사로 인한 감염은 근육내농양을 유발할 수 있지만 발병률은 매우 낮다.

금기증(Contraindication)

1. 울혈성 심부전
2. 조절되지 않는 당뇨병
3. 임신
4. 전신감염 혹은 시술부위의 국소감염
5. 출혈장애나 전혀 응고가 안되는 혈액

보험질병코드

M25.55
M47.27, M47.28, M47.29
M48.08, M48.09
M54.48, M54.58

* 천장관절통은 체성통으로 요통과 엉덩이와 허벅지의 연관통과 관련이 있으며 간간히 아래다리, 발, 발목, 샅 부위의 통증으로 나타나기도 한다. 요추 5번 피부분절을 넘어가는 통증은 드물며 후상장골극(PSIS) 위쪽의 국소통증으로 나타난다. 몇몇 논문에서 요통 및 하지 연관통의 15~38%가 천장관절통에 의한 것으로 보고되고 있으며. 세계통증협회(The international association for the study of pain)에서는 천장관절통의 3가지 진단기준을 제시했다.

1. 천장관절 부위에 통증이 있는 경우
2. 해당 관절부위에 자극을 주었을 때 통증이 재현되는 경우
3. 해당 부위 국소마취 후 통증이 사라진 경우

* 천장관절통은 외상, 천장관절의 기능장애 및 염증으로 인해 비정상적인 하중이 전달되는 경우에 발생할 수 있으며 천장관절통은 관절내 구성요소 및 관절외 구성요소 모두에 의해 발생된다고 생각되어지기 때문에 관절강 안뿐만 아니라 주변 인접 구조물에 대한 고려도 필요하다. 심부골간 인대차단술은 관절강외 구조물로 인한 천장관절통을 해소해 줄 수 있다.

REFERENCES

1. Bogduk N, et al. Practice Guidelines Spinal Diagnostic and Treatment protocols. International Spine Intervention Society (ISIS), Second Edition. 2013.
2. Laslett M. Evidence-Based Diagnosis and Treatment of the Painful Sacroiliac Joint. J Man Manip Ther. 2008;16:142-52.
3. van der Wurff P, et al. A multitest regimen of pain provocation tests as an aid to reduce unnecessary minimally invasive sacroiliac joint procedures. Arch Phys Med Rehabil. 2006;87:10-4.
4. Fortin JD, et al. Sacroiliac joint provocation and arthrography. Arch Phys Med Rehabil. 1993. 74:1259-1261. (Dr. Fortin is a paid consultant of SI-BONE, Inc.)
5. Schwarzer AC, et al. The sacroiliac joint in chronic low back pain. Spine. 1995;20:31-7.
6. Aprill C. The role of anatomically specific injections into the sacroiliac joint. In: Vleeming A*, Mooney V, Snijders C, Dorman T, eds. Proceedings: First Interdisciplinary World Congress on Low Back Pain and its Relation to the Sacroiliac Joint. San Diego, CA. 1992:373-80.
7. Pauza KJ. Educational Guidelines for Interventional Spinal Procedures. American Academy of Physical Medicine and Rehabilitation (AAPM&R). 2001. Critical Review 2001, 2004. Editorial Update 2007, 2008. http://www.aapmr.org/practice/guidelines/documents/edguidelines.pdf. Accessed 11Nov2014.
8. Manchikanti L, et al. An update of comprehensive evidence-based guidelines for interventional techniques in chronic spinal pain. Part II: guidance and recommendations. Pain Physician. 2013;16 (2 suppl):S49-283.
9. Rosenberg JM, Quint TJ, de Rosayro AM. Computerized tomographic localization of clinically-guided sacroiliac joint injections. Clin J Pain. 2000; 16: 18-21.
10. Jee H, Lee JH, Park KD, Ahn J, Park Y. Ultrasound-guided versus fluoroscopy-guided sacroiliac joint intra-articular injections in the noninflammatory sacroiliac joint dysfunction: a prospective, randomized, single-blinded study. Arch Phys Med Rehabil. 2014; 95: 330-337.
11. Klauser AS, De Zordo T, Feuchtner GM, Djedovic G, Weiler RB, Faschingbauer R, et al. Fusion of real-time US with CT images to guide sacroiliac joint injection in vitro and in vivo. Radiology. 2010; 256: 547-553.
12. Lee DG, Vleeming A. An integrated therapeutic approach to the treatment of pelvic girdle pain. In: Vleeming A, Mooney V, Stoeckart R, editors. Movement, stability & lumbopelvic pain. 2nd edn. London: Elsevier. 2007; 621.
13. Murakami E, Tanaka Y, Aizawa T, Ishizuka M, Kokubun S. Effect of periarticular and intraarticular lidocaine injections for sacroiliac joint pain: prospective comparative study. J Orthop Sci. 2007; 12: 274-280.

만성 척추통증에서의
고주파 신경차단술

Radiofrequency neurolysis for chronic spinal pain

이창현, 박정율

적응증(Indication)

Radiofrequency neurolysis (RFN)의 시술 적응증

후관절 질환에 의한 척추통증(경부통증, 요통)으로 진단받고 보존치료가 실패하거나 소염진통제 사용이 어려운 경우, 통증중재시술(interventional treatment)을 고려해야 한다.

중재시술로서 RFN을 고려한다면 진단적 신경차단술(diagnostic medial branch block)을 시행하여 반응이 있는 경우에만 시행한다(진단적 신경차단술은 후반부에서 상세히 설명한다).

증상

요추 후관절통증은 하지방사통에 비해 요통이 심하고, 휴식할 때에 비해 움직일 때 통증이 심해지는 통증을 호소한다. 요추보조기 등을 착용하면서 증상이 많이 호전된다면 후관절통증의 가능성이

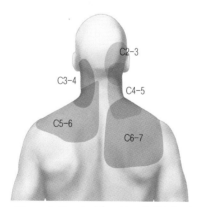

Figure 1. Cervical facet level distribution
경추부 후관절 레벨에 따른 통증 분포도

있다. 경추 후관절통증은 목과 어깨의 통증을 호소하며 척추 레벨에 따라 위 그림과 같은 통증 분포를 보인다(Figure 1).

RFN은 지속되고(constant) 제한된 영역(limited distribution)에서 발생하는 nociceptive pathway를 차단하는 것으로 알려져 있다. 따라서 nociceptive pain과 일부 neuropathic pain에 효과적이다. 후관절 질환이 확진되면 4~6주간 약물과 운동치료를 포함한 보존치료를 한다.

술기(Procedure)

Lumbar RFN

1. 항혈소판제, 항응고제는 사전에 중단한다.
2. 환자는 시술 전 6시간 금식한다.
3. 환자는 엎드리게 하고 베개로 얼굴을 편하게 받치도록 한다. 두 번째 베개는 아랫배에 받쳐 요추의 전만(lordosis)이 평평하도록(flat) 한다.
4. C-arm을 이용하여 시술 부위를 확인하고, AP에서 25~45° 기울어진 비스듬투영(oblique projection)을 하여 "scottie dog" sign이 보이도록 한다.
5. 치료의 목표부위는 가로돌기(transverse process)와 위관절돌기(superior articulating process)의 이행부위(junction)로 scottie dog에서는 코에서 귀로 연결되는 부위에 해당한다(Figure 3, 4).
6. 22 G spinal needle을 방사선 조사 방향과 같은 방향("gun barrel view")으로 삽입하여 목표지점의 뼈에 닿을 때까지 진행한다.
7. 목표지점에 도달했으면 AP, lateral projection을 하여 바늘의 위치를 확인한다. AP view에서 pedicle의 위바깥쪽(upper-lateral part)에 바늘이 있어야 한다. Lateral view에서 바늘이 신경이 나오는 foramen을 지나가지 않아야 한다.
8. 신경용해술을 하기 전, 2종류의 자극을 한다. 자극할 때 국소마취제는 사용하지 않는다.
   감각신경 자극: 고주파(high frequency repetition rate, 50 Hz cycles/sec)로 역치전압(threshold voltage)은 0.2~0.5 V로 시행한다.
   운동신경 자극: 저주파(low frequency repetition rate, 2 Hz cycles/sec)로 적어도 2 V까지 전압을 올려 근수축이 발생하는지 확인한다.
9. 자극하여 평상시 통증부위와 일치하는지 확인하고, 운동신경자극에 반응은 없어야 한다.
10. 소량의(약 1 cc) 국소마취제를 목표부위에 주사하고, 신경용해 절차를 진행한다(80~90 ℃, 90초, 2회).
11. 시술 후 30~60분간 병원에서 휴식을 취하게 하여 상태를 확인한다.

Cervical RFN

1. 시술 전 준비는 요추 RFN과 같다.
2. 환자는 lateral decubitus 자세를 취한다. 병변 부위가 위(upward)가 되도록 눕는다.
3. 환자가 편안히 시술받을 수 있도록 국소마취를 할 수 있다.
4. C-arm은 lateral view를 볼 수 있게 준비한다.

5. 바늘을 뒤쪽, 바깥쪽, 위쪽으로 진행한다. 치료의 목표부위는 가로돌기와 lateral mass의 바깥쪽 모서리의 이행 부위이다. Probe는 medial branch와 가능한 평행하도록 해야 한다(Figure 2).

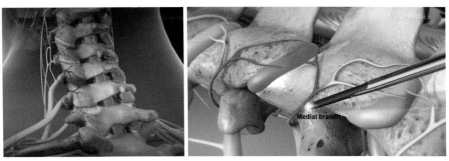

Figure 2. 경추 내측지(cervical median branch)의 고주파 신경차단술 부위

6. C-arm을 AP, lateral view를 통해 바늘의 위치를 확인, 조정한다.
7. 감각신경검사를 위해 50 Hz 임피던스로 1 V 이하에서 점차 에너지를 증가시킨다. Medial branch 에 가까워지면 환자는 통증을 호소한다.
8. 이러 운동신경검사를 시행하는데 2 Hz 임피던스로 전압을 점차 올려 근수축이 없는지 확인한다. 이 단계에서 감각신경검사의 2배 이상의 전압이나 2 V의 자극에도 근수축이 관찰되지 않으면 바늘의 위치가 안전하다고 할 수 있다.

해부학(Anatomy)

치료의 목표부위는 medial branch이며 아래와 같다.

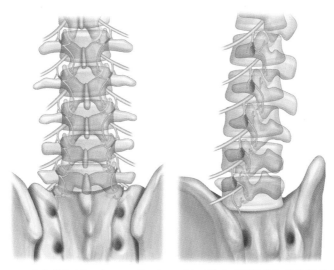

Figure 3. 요추내측지(lumbar median branch) 고주파 신경차단술 부위(붉은 선)

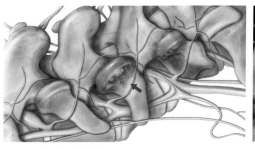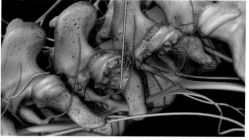

Figure 4. 관절증으로 인한 내측지 신경의 자극에 대한 고주파 신경차단술 도식화

합병증(Complication)

1. 일시적인 하반신 근력약화
2. 피부 화상
3. 시술 후 통증악화

금기증(Contraindication)

1. 중심성 통증(centralized pain)
2. 척수의 병변(pathology in the spinal cord)
3. 심각한 신경정신병리(serious psychopathology)

보험 진료 지침

분류번호: 자-482-1
분류코드: S4825 가. 단순 simple
　　　　　 S4826 나. 복잡(3부위 이상) complex
분류: 경피적 척추 고주파 열응고술(척수 포함)

보험관련 유의사항
진단적 신경차단술을 1주 간격으로 2회 시행한 후에 고주파 열응고술을 시행해야 인정함(진단적 신경차단술 시행 1일 후 척추고주파열응고술을 시행한 사례의 경우, 삭감된 사례가 있음).
고주파 열응고술(RF) 또는 박동성 고주파 열응고술(pulsed RF)는 동일 부위에 최소 6개월 간격으로 실시하는 경우에 인정함.

* 1891년 d'Arsonval은 최초로 radiofrequency (RF) 파동이 주변조직의 온도를 높인다고 보고하였다. 수년 후, RF 에너지를 이용하여 소작과 절단이 가능한 bovie knife가 소개되었고, 현재에도 사용하고 있다. 1974년 Shealy가 최초로 RF 에너지를 이용하여 경피적 후관절신경절제술(percutaneous facet joint denervation)을 시행하였다. 1990년대에 이르러 RF를 이용하여 종양을 소작하는 기술이 소개되었고, 그 이후 통증조절을 목적으로 RF를 신경용해술(neurolysis)에 사용하기 시작하였다. RF 에너지는 3 Hz에서 300 ㎓의 주파수를 갖는 형태로 파동주파수(wave frequency)에 따라 에너지와 조직 간의 상호작용인 투과깊이(에너지분포면적에 영향)와 흡수율(가열속도에 영향)이 결정된다. 임상에서 주로 사용하는 RF는 400~500 ㎑ 주파수의 연속형 정현곡선파형(continuous sinusoidal waveform)이다. RF 기계는 발전기(generator)와 전극 역할을 국소기구(applicator)로 구성되어 있고, RF 국소기구는 양극이고 접지패드(ground pad)는 음극이다.

RF 에너지는 척추질환에 의한 통증치료를 위해 크게 2가지로 사용한다. 하나는 신경분지에 RF 에너지를 가해 신경을 용해(neurolysis)하는 것이고, 다른 하나는 디스크 내부에서 RF 에너지를 가해 수핵(nucleus pulposus)을 위축, 경화시키는 방법으로 수핵성형술(nucleoplasty)이라고도 한다(수핵성형술은 Part 3. 1 참고). 고주파신경용해술(radiofrequency neurolysis, RFN)은 후관절(facet joint) 병변에 기인한 만성요통을 완화시키는 수단으로 후관절에 분포한 dorsal rami의 medial branch를 고주파로 괴사시키는 방법이다. 여러 무작위 통제연구들이 고주파신경용해술의 효능 및 안전성에 대해 연구하였지만, 연구들의 방법론이 심한 수준 차이를 보여 강력한 치료의 근거를 갖지 못한다. 하지만 많은 연구들이 일관되게 고주파신경용해술이 Sham treatment에 비해 장단기적으로 요통감소와 기능회복에 도움이 된다고 보고하고 있다. RFN 치료효과는 최대 90%의 환자에서 호전을 보이고, 효과는 3~4년간 유지되는 것으로 보고되고 있다. 시술 1~2년 후 재발되는 경우가 있으나 재시술이 가능하다.

RFN은 아래와 같이 여러가지 이름이 통용된다.

Radiofrequency neurolysis

Radiofrequency neurotomy

Radiofrequency ablation

Radiofrequency lesioning

Medial branch neurotomy

Medial branch thermocoagulation

진단적 신경차단술(diagnostic medial branch block)의 효과적인 반응의 정의

22 G spinal needle을 medial branch에 위치시키고 시술자의 선택에 따라 스테로이드와 국소마취제 혹은 식염수를 혼합하여 주사한다. 이를 이용하여 medial branch를 차단하고, 이후 요통이 50% 이상 감소한 환자들은 통증의 원인이 facet joint일 가능성이 높으며 RFN 시술에 적합하다. 진단적 신경차단술의 반응에 대해 VAS 4 이상 감소, 최소 48시간 간격으로 2회 신경차단술에 반응이 있는 것을 RFN 치료의 기준으로 보고한 문헌도 있다. 그 외에도, 진단적 차단술로 통증이 70~80% 감소

하였다면, RF 치료는 성공적일 것이 주장하는 연구도 있다.

많은 진료지침에서 고주파신경용해술을 시행하기 전에 2회의 medial branch의 신경차단술을 통해 통증감소 반응을 보인 환자에게 RFN을 할 것을 권고하고 있다.

Conventional (continuous) RFN vs pulsed RFN

고식적(연속적) RF는 발열하는 활성팁(active tip) 부위가 5~10 ㎜인 바늘로 타원형의 열 손상을 일으키는 치료이다. 활성팁은 90 ℃ 가량 발열하며, 열손상은 바늘 직경과 활성팁의 길이에 따라 다르나 보통 3~5 ㎜ 직경의 병소가 만들어진다.

펄스식 RF는 동일한 probe와 발전기를 사용하는 방식이지만이 응용 프로그램에서는 온도가 40~42 ℃로 제어된다.

REFERENCES

1. Chou R: Low back pain (chronic). BMJ clinical evidence 2010: 1116, 2010.
2. Cohen SP, Huang JH, Brummett C: Facet joint pain--advances in patient selection and treatment. Nat Rev Rheumatol 9: 101-116, 2013.
3. D. Y, J. HR: Nonsurgical and Postsurgical Management of Low Back Pain: Youmans Neurological Surgery, p2342.
4. Engel A, Rappard G, King W, Kennedy DJ, Standards Division of the International Spine Intervention S: The Effectiveness and Risks of Fluoroscopically-Guided Cervical Medial Branch Thermal Radiofrequency Neurotomy: A Systematic Review with Comprehensive Analysis of the Published Data. Pain medicine (Malden, Mass) 17: 658-669, 2016.
5. Hong K, Georgiades CS: Radiofrequency ablation: mechanism of action and devices, in K. H, S. GC (eds): Percutaneous tumor ablation strategies and techniques. New York: Thieme Medical Publishers, 2011, pp1-14.
6. Kelekis A, Filippiadis DK: RFN on Lumbar Facet Joint, in Marcia S, Saba L (eds): Radiofrequency Treatments on the Spine. Cham: Springer, 2017, pp57-62.
7. Lee CH, Chung CK, Kim CH: The efficacy of conventional radiofrequency denervation in patients with chronic low back pain originating from the facet joints: a meta-analysis of randomized controlled trials. The spine journal : official journal of the North American Spine Society 17: 1770-1780, 2017.
8. Manchikanti L, Kaye AD, Boswell MV, Bakshi S, Gharibo CG, Grami V, et al.: A Systematic Review and Best Evidence Synthesis of the Effectiveness of Therapeutic Facet Joint Interventions in Managing Chronic Spinal Pain. Pain physician 18: E535-582, 2015.
9. Martin JB, Cuvinciuc V, Kelekis A, Filippiadis D: Cervical and Lumbar Facet RFA: Evidence and Indications, in Marcia S, Saba L (eds): Radiofrequency Treatments on the Spine. Cham: Springer, 2017, pp49-55.
10. Poetscher AW, Gentil AF, Lenza M, Ferretti M: Radiofrequency denervation for facet joint low back pain: A systematic review. Spine 39: E842-E849, 2014.
11. Van Zundert J, Vanelderen P, Kessels A, van Kleef M: Radiofrequency treatment of facet-related pain: evidence and controversies. Current pain and headache reports 16: 19-25, 2012.

만성요통에서의 인대증식치료

Prolotherapy of back pain

심재현

적응증(Indication)

1. 도수치료나 물리치료를 통하여 일시적으로 증상의 개선을 보였던 요통 환자
2. 병력상에서 요통의 원인이 인대나 힘줄의 약화로 생각되는 경우
   1) 통증으로 허리를 돌리거나 구부리거나 들어올리는 동작을 반복적으로 하지 못하는 경우
   2) 통증이 악화되어 오래 앉아있지 못하는 경우
   3) 격렬한 신체활동 후에 근육이 뭉치고 근육통이 생기는 경우
   4) 엉치와 다리의 통증과 감각이상
   5) 잠을 자고 침대에서 일어날 때 허리에 통증이 있고 근육이 뭉치는 경우
3. "Cocktail party syndrome"; 인대나 힘줄이 약할 때 한 자세를 유지하기 힘든 경우
4. 그 밖의 질환들
   1) 만성요통
   2) 퇴행성 디스크 질환
   3) 좌골신경통
   4) 이상근증후군
   5) 수술 후 요통이 개선되지 않는 경우
   6) 후관절증후군
   7) 미골통(coccydynia)
   8) 척추전방전위증 또는 척추분리증
   9) Spinal stenosis: 협착증환자의 증상이 신경의 압박보다 불안정이 주요원인이라면 프롤로치료가 도움이 될 수 있다.
   10) 급성 요추염좌

해부학(Anatomy)

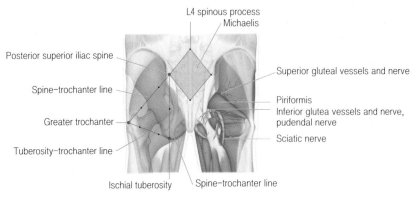

Figure 1. 인대증식 치료를 위한 기초 해부학과 명칭

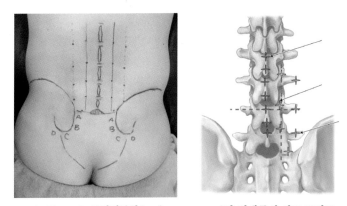

Figure 2. 표면해부학(surface anatomy)과 인대증식 치료 포인트

* 요통의 프롤로치료 후 일반적인 주의사항

1. 프롤로치료 후 수주간은 과도한 운동이나, 무거운 물체를 들거나 허리를 돌리는 것 그리고 숙이는 동작 등을 피하여야 한다.

2. 프롤로치료 후에는 소염제를 사용하지 않는다. 주사 후 통증의 조절을 위해서는 소염성분이 없는 진통제인 타이레놀이나 울트라셋 같은 약제를 사용한다.

3. 2~3회 치료 후에도 전혀 증상의 개선이 없는 경우에는 환자의 진단에 대한 재평가가 필요하다.

1. 환자의 자세

환자는 치료대 위에 prone 자세로 엎드리게 하고 배 밑에는 적당한 높이의 쿠션을 집어넣어 허리가 편평해지도록 만든다. 이것은 환자의 요추전만의 각도를 줄여서 치료부위의 구조물들을 정확하게 촉진하는 데 도움이 되도록 하기 위함이다.

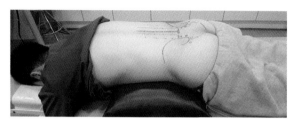

Figure 3. 환자의 엎드린 자세(prone position)
복부 아래에 쿠션을 넣어서 요추전만을 감소시켜서 bony landmark를 잘 촉진할 수 있도록 한다.

2. 표면해부학

1) 필수적인 표지점(bony landmarks)들을 먼저 찾는다.

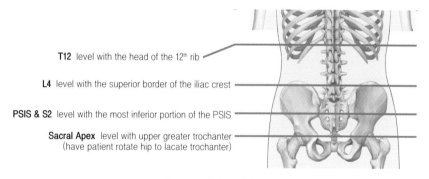

T12 level with the head of the 12th rib

L4 level with the superior border of the iliac crest

PSIS & S2 level with the most inferior portion of the PSIS

Sacral Apex level with upper greater trochanter
(have patient rotate hip to lacate trochanter)

Figure 4. L4 level의 표지점(landmark)

(1) Sacro-iliac dimple: 양손의 검지를 이용하여 허리의 중심부에서 paravertebral muscles의 측면을 따라서 촉지하여 caudal 방향으로 내려가면, iliac crest와 만나는 부위에서 피부의 저항이 감소되는 함몰부(dimple)이다. 이곳은 sacrum과 iliac crest가 교차하면서 생기는 함몰부로 PSIS의 supero-medial에 위치하며, 좌우의 함몰부를 연결하면 L5-S1의 interspinous space를 지나는 선이 된다. 즉 촉진을 통하여 극돌기의 level를 정하는 가장 정확한 land-mark 중 하나이다.

(2) Iliac crest: sacro-iliac dimple에서부터 외상방을 따라가면서 양측의 iliac crest를 촉진하고 각각 표시를 한다. 이때 좌측과 우측 골반의 iliac crest의 가장 높은 위치를 연결하면, 대부분의 사람에서 L4 극돌기에 해당된다. 극돌기의 level을 정하는 또 하나의 유용한 landmark이다.

(3) PSIS (posterior superior iliac spine): Iliac crest를 촉지하며 후하방으로(dorsocaudal aspect) 따라가면 두꺼워진 부위를 쉽게 찾을 수 있는데 이곳이 PSIS이다. PSIS를 찾는 것은 쉽지만 경계부위를 정확히 표시하기 위해서는 연습이 필요하다. 양측 PSIS의 caudal aspect를 연결한 선은 S2 극돌기를 지나는 기준점으로 사용할 수 있다.

(4) Spinous process (SP, 극돌기): PSIS의 내측에 위치한 극돌기를 촉지하여 표시하고, 위에서 언급한 여러 가지의 기준점들을 이용하여 각각의 level을 정한다. 또한 극돌기 사이에 위치하는 interspinous space를 확인하고 표시한다.

(5) Facet joint (FJ, 후관절): 척추의 극돌기의 측면에서부터 1횡지(fingerbreadth, FB, 3/4inch, 약 2 ㎝) 외측에서 극돌기와 평행한 sagittal line을 그린다. 이선과 interspinous space를 지나는 transverse line이 만나는 점들이 후관절의 위치를 나타내는 곳이다. 단 L5-S1 facet은 이 위치보다 외측에 존재하기 때문에 1.5횡지 위치에 표시를 한다.

(6) Transverse process (TP, 횡돌기): 척추의 극돌기의 측면에서부터 2횡지 외측에서 극돌기와 평행한 sagittal line을 그린다. 이선과 극돌기의 cranial aspect를 지나는 transverse line이 만나는 점들 근처가 횡돌기의 tip이 위치하는 곳이다.

(7) Lateral border of sacrum(천추의 외측연): anal cleft(배끝갈래)의 가장 cranial aspect와 PSIS를 연결한 가상선의 외측에 천추의 외측연이 존재한다. 이곳은 대둔근과 극결절인대가 부착하는 곳이다.

2) 치료가 필요한 압통점들을 찾는다.

(1) SP와 Interspinous space를 흉-요추이행부(thoracolumbar junction, TLJ)부터 요-천추이행부(lumbosacral junction, LSJ)까지 촉진하면서 압통점을 찾아서 표시한다.

(2) 천추(sacrum)와 미추의(coccyx) 압통점들을 찾아서 표시한다.

(3) Facet joint, TP의 압통점을 찾아서 표시한다.

(4) Iliac crest, SIJ (sacroiliac joint, 천장관절)의 압통점을 찾아서 표시한다.

(5) Gluteal muscles 부착부의 압통점을 찾아서 표시한다.

(6) 천추의 외측연에서 압통점을 찾아서 표시한다.

3) 소독: 치료부위의 피부를 알코올로 충분히 소독을 한다.

4) 피부마취

(1) 준비물: 바늘 21 G, 1/2inch needle, 주사기 3 cc 또는 5 cc, 0.5% lidocaine

(2) 방법: 주사를 하려고 표시한 피부에 피하주사로 피부마취를 시행한다.

5) 주사방법

(1) 준비물: 바늘 25 G 또는 24 G, 2inch또는 1.5inch, 주사기 5 cc 또는 10 cc, 프롤로용액 15% dextrose/0.2% lidocaine

(2) Spinous process (SP, 극돌기): supraspinous ligament, interspinous ligament

① 주사기를 들지 않은 손으로 척추의 극돌기를 촉지하여 확인하면서, 주사기를 midsagittal line을 따라서 caudal 방향으로 45°로 피부에 자입한다. 바늘을 서서히 피하로 진행하여 SP를 접촉한다. 바늘이 SP에 닿으면 0.5~1 cc 정도의 프롤로용액을 supraspinous ligament에 주사한다. 주사기를 천천히 뒤로 빼내어 피하에 위치하도록 한 후에 바늘의 각도와 깊이는 유지한 채로, 피부를 촉지하고 있는 손가락으로 피부를 caudal 방향으로 움직이게 하며 동시에 주사바늘을 caudal 방향으로 이동시킨다. 다시 바늘을 피하에서 동일 각도를 유지하면서 caudal 방향으로 진행시켜 아래 레벨의 척추의 SP에 접촉시킨다(skin sliding method). 같은 요령으로 프롤로용액을 interspinous ligament에 주사한다.

② 주의사항

A. 바늘의 방향이 항상 caudal 방향으로 향하도록 하여야 한다. 만일 바늘이 수직방향이나 cephalad 방향으로 자입하게 되면 dural puncture의 원인이 될 수도 있으므로 주의한다.

B. L5-S1 level에서는 skin sliding method를 사용하지 않는다.

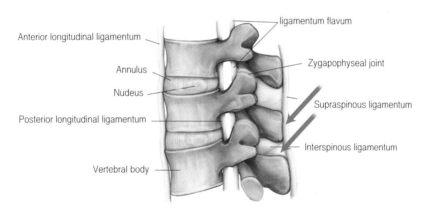

Figure 5. 극돌기의 주사방법(interspinous injection)
화살표: 안전한 주사바늘의 방향

(3) Facet joint (FJ, 후관절)

① SP의 1횡지 외측에서 수직으로 바늘을 자입하고 서서히 전진시켜서 원하는 FJ에 바늘을 접촉시킨다. 이때 만일, 예측한 부위에서 FJ를 접촉하지 못하면, 바늘을 더 이상 깊게 밀어 넣지 말고, 뒤로 후퇴하여 근막의 바깥에 존재하는 피하공간에 바늘의 끝이 나올 때까지

후퇴한다. 그리고 바늘의 각도와 깊이를 유지한 상태로 skin sliding method를 사용하여 cranial 또는 caudal로 바늘의 위치를 이동한 후에 다시 바늘을 수직으로 전진시켜서 FJ를 찾는다. 이렇게 하는 것이 치료의 정확도와 안정성을 높이는 방법이다. 바늘 끝에 뼈가 닿는 것을 확인한 후에 약 1 cc 정도의 프롤로용액을 주사한다. 이때 FJ의 관절낭 안에 용액을 주입하는 것이 목표가 아니라, FJ의 관절낭과 주변에 부착하는 인대와 힘줄을 적셔준다는 느낌으로 주사한다.

② 주의사항

　A. 바늘의 방향이 medial로 향하게 되면, dural puncture의 원인이 될 수도 있으므로 주의한다.

　B. L5-S1 FJ는 다른 FJ보다 더 lateral에 위치하므로 반드시 SP의 1.5 FB lateral에서 자입하고 바늘의 방향이 medial로 진행하지 않도록 주의한다.

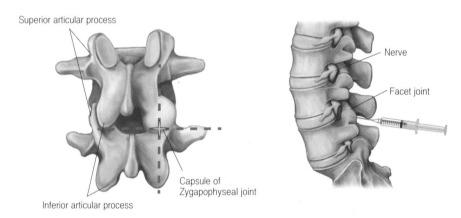

Figure 6. 후관절의 주사방법(facet joint injection)

(4) Transverse process (TP, 횡돌기)

① 크게 2가지 방법이 있다. 첫째는 SP의 2횡지외측에서 수직으로 바늘을 자입하고 서서히 전진시켜서 원하는 TP에 바늘을 접촉시키는 방법이다. 물론 한번에 TP를 확보하지 못하면 skin sliding method를 사용한다. 두 번째는 paravertebral muscles의 외측연에서 바늘을 자입하여 약 45° medial 방향으로 바늘을 전진시켜서 TP를 확보하는 방법을 사용할 수도 있다.

② 주의사항: L1, 2의 TP는 폐를 찌를 수 있는 위험성이 있으므로 바늘을 자입하지 않는다.

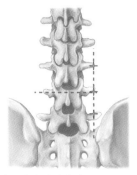

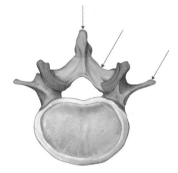

Figure 7. 횡돌기의 주사방법(transverse injection)　　Figure 8. 극돌기, 후관절, 횡돌기의 주사각도 비교
(angle of injection)

(5) Iliolumbar ligament (ILL, 장요인대)

① 장요인대는 L4, 5 횡돌기와 iliac crest의 anterior surface를 연결하는 밴드모양의 강한 인
대로 요추와 골반을 연결하는 안정성에 중요한 역할을 한다.

② L4 극돌기와 PSIS의 medial border의 중간지점에서 25 G 또는 24 G, 2inch 또는 6 cm의
바늘을 자입한 후, iliac crest의 anterior surface를 향하여 바늘을 전진시킨다. Iliac bone
의 anterior surface를 접촉한 후에 약 5 cc의 프롤로용액을 peppering하는 방법으로 주
사한다.

③ 주의사항: 바늘이 뼈에 닿지 않은 상태에서 주사하는 것은 위험하다.

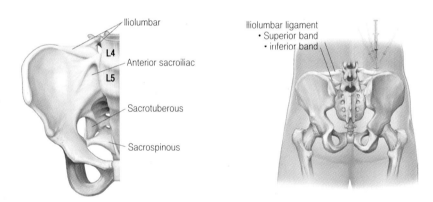

Figure 9. 장요인대의 주사방법(iliolumbar ligament injection)

(6) Hackett (region) A, B, C, D: sacroiliac ligament

① Hackett A: S1 극돌기를 지나는 transverse plane에서, S1과 PSIS의 중간을 자입하여 피
부를 통과하고, lateral 방향으로 전진하여 iliac bone에 부착하는 posterior SI ligament에
주사한다.

② Hackett B: S2 극돌기를 지나는 transverse plane에서, S2와 PSIS의 중간을 자입하여 피부를 통과하고, lateral 방향으로 전진하여 iliac bone에 부착하는 posterior SI ligament에 주사한다.

③ Hackett C: PSIS의 distal aspect의 medial에서 피부를 자입하고, PSIS 방향으로 전진하여 바늘이 PSIS에 닿는 것을 확인한 후 주사한다.

④ Hackett D: PSIS의 distal aspect의 latera에서 피부를 자입하고, PSIS 방향으로 전진하여 바늘이 PSIS에 닿는 것을 확인한 후 주사한다.

⑤ 주의사항: Hackett A, B에서 바늘을 수직으로 자입하면 sacral foramen의 root를 찌를 수도 있으므로 주의한다. Hackett A에서 바늘이 supero-medial 방향으로 자입하면 dural puncture의 위험이 있다.

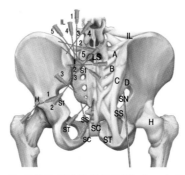

IL – Iliolumbar
LS – Lumbosacral:
    supra & interspinous
A, B, C, D – Posterior sacroiliac
SS – Sacrospinous
SC – Sacrococcygeal
H – Hip-articular
SN – Sciatic nerve

Figure 10. 프롤로 치료의 목표점(Hackett A, B, C, D)

(7) Sacral margin(천추의 외측연): 대둔근(gluteus maximus)와 천결절인대(sacrotuberous ligament, ST), 천극인대(sacrospinous ligament, SS)의 부착지점

① 촉진을 하는 손가락으로 천추의 외측연을 확인하고, 압박을 하여 뼈와 피부의 거리를 좁힌 후에, 외측연에 대하여 직각으로 바늘을 자입하여 뼈에 닿는 것을 확인하고 주사한다.

② 주의사항: 천추의 외측연에서 너무 깊은 각도로 바늘을 자입하면, root를 찌를 수도 있으므로 주의해야 한다.

(8) Iliac crest(장골능): Thoracolumbar fascia, quadratus lumborum의 부착지점 iliac crest를 따라서 외측으로 촉진하면서 압통이 있는 부위를 주사한다.

(9) Posterior surface of Iliac bone(장골의 후면): gluteal muscles의 기시부

① 장골의 posterior surface에는 대둔근 중둔근의 부착부위에 있는 압통점을 찾아서 장골에 대하여 바늘이 수직이 되도록 자입하고, 뼈에 닿는 위치에서 주사한다.

② 주의사항: PSIS와 대퇴골 대전자를 연결하는 선(spine-trochanteric line)의 infero-medial area에는 좌골신경이 주행하므로 이선 아래는 주사하지 않는다.

합병증(Complication)

1. Fainting: vaso-vagal attack – 가능하면 환자를 눕혀서 치료하는 것이 좋다.
2. 출혈과 울혈
3. 주사 후 통증의 악화
4. 치료과정에서 일시적으로 손상되거나 자극받은 구조물에서 유발되는 연관통(referred pain)
5. 동맥내 주사
6. Intraspinal injection & spinal headache
7. 말초신경의 손상
8. 기흉
9. 알레르기 반응 – 국소마취제에 소량 함유되어있는 방부제 성분이 주원인
10. Lidocaine toxicity
11. 감염

금기(Contraindication)

1. Local abscess
2. Bleeding disorders
3. 항응고제를 복용하는 환자
4. Cellulitis 같은 급성감염이 있는 경우
5. Septic arthritis
6. Relative contraindications: acute gouty arthritis, acute fracture
7. Progressive neurological symptomes and signs

보험 진료 지침

분류번호: 서-142나
분류코드: MY143
적용일자: 2006.01.01
급여여부 : 비급여

* 프롤로치료(prolotherapy, 증식치료)는 약해진 인대와 힘줄에 있는 세포의 재생과 증식을 유발시켜서 관절을 안정되도록 만들어 기능을 회복시키고 통증을 치유하는 주사치료이다. 증식제로는 다양한 여러 가지 물질들을 시도해왔지만, 최근에는 가장 안전하면서도 효과가 좋은 것으로 포도당을 주로 사용한다.

George S. Hackett는 요통 환자에서 manipulation이나 스테로이드 주사, 능동적인 운동치료 등을

시행하지 않고 프롤로치료만을 통하여 90% 이상의 환자에서 통증은 해결하고 기능적인 상태로 회복되도록 치료할 수 있었다고 보고하였다.

1. 안전하게 주사를 놓는 방법

1) 치료 전에 촉진을 통하여 bony landmark와 주사바늘을 자입할 위치를 미리 확인하고 표시한다.
2) 주사바늘이 뼈에 닿은 경우에만 프롤로용액을 주사한다(단, 관절강내 주사는 예외). 이것은 안전을 위해서 가장 중요한 포인트이며, 좋은 효과를 위해서도 중요하다.
3) 주사바늘은 항상 서서히 부드럽게 전진시키고, 피부를 통과하는 것과 목표지점을 향해서 전진하는 것을 구별 동작으로 시행한다.
4) 한 부위에 0.2~1 cc 정도를 주사한다. 절대로 한 번에 1 cc 이상의 많은 주사액을 힘줄의 한 부위에 주사하지 않는다.
5) 초음파투시하에 주사를 놓는 방법도 있다.

2. Prolotherapy를 하는 간격

2~6주 간격으로 치료를 한다. Wound healing Cascade에 따르면, 조직의 손상이나 주사치료 후의 반응과정은 국소적인 염증반응기(약 1주일간), 증식기(3일~6주까지), 리모델링기(6주 이후)를 차례로 거치게 된다. 만일 1주일 간격으로 주사를 반복적으로 한다면 염증반응기를 자꾸 반복하게 만들어서 주사 후 통증으로 인한 환자의 고통이 더 심해질 수도 있다. 따라서 2~4주 이상의 기간을 두고 치료하는 것을 권장한다.

3. Prolotherapy의 포도당 증식제를 혼합하는 방법

1) D15: 15% dextrose with 0.2% lidocaine − 주로 인대와 힘줄에 주사

Lidocaine 1%	2 cc
Sterile water	5 cc
Dextrose 50%	3 cc
total	10 cc

2) D25: 25% dextrose with 0.2% lidocaine − 관절강내에 주사

Lidocaine 1%	2 cc
Sterile water	5 cc
Dextrose 50%	3 cc
total	10 cc

3) 주사액을 혼합한 후에 충분히 흔들어주지 않으면 포도당과 국소마취제가 제대로 섞이지 않고 서로 다른 층을 형성할 수도 있으므로 주의한다.

REFERENCES

1. Ligament and Tendon Relaxation Treated by Prolotherapy, 1991, 5th Edition, George Stuart Hackett, M.D., Gustav A. Hemwall, M.D. Gerald A. Montgomery, M.D.

2. Thieme, Atlas of Anatomy, General anatomy and musculoskeletal system

3. HIRSCHBERG G. et al: "Iliolumbar Syndrome as a Common Cause of Low Back Pain: Diagnosis and Prognosis", Archives of physical Medicine and Rehabilitation, Vol. 60, pp. 415-418, Sept. 1979.

4. Color Atlas of Human Anatomy, Vol. 1, Locomotor System, 6th Edition, Werner Platzer, Thieme

5. Principles of Prolotherapy, Ravin, MD, Cantieri, DO, Pasquarello, DO, American Academy of Musculoskeletal Medicine

6. Regenerative Injections, The Art of Healing: Complete Injection manual, Joel J. Baumgartner, M.D. 5th Edition

7. Prolo Your Pain Away! Ross A. Hauser, M.D. and Marion A. Hauser, M.S., R.D. 3rd Edition, Beulah Land Press

8. Diagnosis and Treatment of the spine, Nonoperative Orthopaedic Medicine and Manual therapy, Dos Winkel, An Aspen Publication

9. Manohar M. Panjabi, "Clinical spinal instability and low back pain" Journal of Electromyography and Kinesiology 13(2003)371-379.

10. P. B. O'sullivan, "Lumber segmental 'instability' : clinical presentation and specific stabilizing management." Manual Therapy (2000) 5(1),2-12.

11. Hae Won Choi and Young Eun Kim, "Contribution of paraspinal muscle and passive elements of the spine to the mechanical stability of the lumber spine. International Journal of Precision Engineering and Manufacturing(2012) vol.13 no.6 pp993-1002.

12. Manohar M. Panjabi, "A hypothesis of chronic back pain : Ligament subfailure injuries lead to muscle control dysfunction. Eur Spine J(2006)15 : 668-676.

13. N. Peter Reeves, Kumpatis. Narendra, Jacek Cholewicki, "Spine stability; Lessons from balancing stick." Clinical Biomechanics 26(2011) 325-330.

14. A. H. McGregor, D. W. L. Hukins, Lower limb involvement in spinal function and low back pain. Journal of Back and Musculoskeletal Rehabilitation 22(2009)219-222.

15. Thomas C. Michaud, Foot Orthoses and Other Forms of Conservative Foot Care, Textbook.

통증유발점 주사

Trigger point injection: TPI

심정현, 이종오

적응증(Indication)

활성화된 통증유발점이 있으면서 이에 해당하는 증상이 있는 경우 치료의 적응증이 된다.

1. 급성 외상이나 반복적인 미세외상(microtrauma)
2. 운동부족
3. 비타민 결핍
4. 수면장애
5. 관절문제
6. 직업적 또는 취미 활동으로 인한 근육의 반복적인 긴장
7. 급성 운동손상
8. 수술 후 흉터 조직

* 근막통증증후군으로 진단된 환자에서 통증유발점 주사치료와 비침습적 치료는 적응증을 잘 선택해서 시행해야 한다. 일반적으로 비침습적 치료는 환자 자신이 시행할 수 있는 경우가 많아서 환자 교육적인 면이 있으며, 여러 근육을 동시에 치료할 수 있다는 장점이 있지만, 통증유발점 주사치료보다 많은 시간이 소요되고 효과적이지 못하다. 급성인 경우, 환자가 바늘을 매우 두려워하는 경우, 주사를 하기가 여려운 경우 비침습적 치료가 선호된다. 비침습적 치료에 반응이 없거나 시행할 수 없는 경우에는 통증유발점 주사치료가 적응증이 된다. 즉, 유발점의 발생과 관련한 여러 가지 기전이 제시되었으나 확실한 과학적 근거는 아직 부족하다.

임상증상 및 진단

통증유발점(trigger point, TrP): 골격근에 위치한 촉진 시 단단한 띠(taut band)로 만져지는 과민반응점(hyperirritable spot)이다.

촉진 시 크기가 3~6 ㎜의 압통이 있는 단단한 결절로 만져지며, 압력을 가하면 국소에 특정적인 연관통(referred pain)과 운동장애, 교감신경 반응을 유발한다. 이 연관통은 원발 병소인 통증유발점에 압력을 가하면 항상 재현되며, 대부분 지배 신경분포를 따르지 않는다. 이러한 점이 섬유근육통(fibromyalgia)에서 흔히 보이는 압통점과의 차이다. 병태생리학적으로 통증유발점내의 민감한 부위를 자극하면 국소연축반응(local twitch response)을 보이는 것이 특징이다.

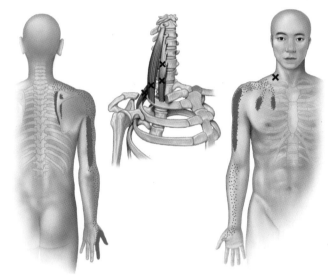

Figure 1. 통증유발점과 연관통의 예
전사각근(anterior scalene muscle) 통증유발점(X)과 연관통(붉은 점)

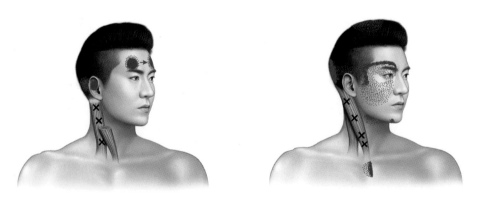

Figure 2. 통증유발점과 연관통의 예
흉쇄유돌근(sternocleiod mastoid muscle) 통증유발점(X)과 연관통(붉은 점)

활동성 통증유발점은 항상(휴식이나 운동 시) 통증을 가지고 근육의 신장을 방해하고 위축을 유발한다. 이 지점에 압력을 가하면 항상 압통과 국소연축반응, 특징적인 부위로의 연관통이 발생한다. 잠재성 통증유발점(latent TrP)은 활동성 통증유발점의 임상적 특징을 가지지만 촉진 시에만 통증을 일으키는 점이 다르다.

통증유발점을 가진 환자는 관절가동범위가 감소한다. 목, 어깨, 골반을 지지하는 승모근(trapezius), 사각근(scalene), 흉쇄유돌근(sternocleidomastoid), 견갑거근(levator scapula), 요방형근(quadratus lumborum) 등이 자주 영향을 받는다. 두경부에서는 긴장성두통, 이명, 턱관절 통증, 눈증상, 사경 등을 보일 수 있다. 상지나 어깨에서는 건병증(tendinosis)이나 활액낭염(bursitis)과 유사한 증상을 나타내기도 한다. 대둔근(gluteus maximus)과 중둔근(gluteus medius)의 통증유발점은 극심한 요통을 일으킬 수 있다.

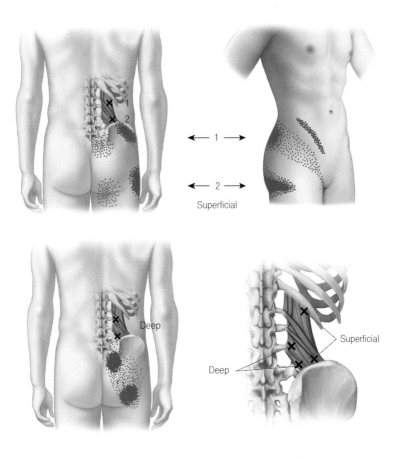

Figure 3. 통증유발점과 연관통의 예
요방형근(quadratus lumborum muscle) 통증유발점(X)과 연관통(붉은 점)

1. 치료 전 준비

1) 사전 지식의 중요성

통증유발점 주사를 성공적으로 시행하려면 다양한 근막통증증후군의 패턴과 각 근육의 통증유발점 위치에 대한 지식이 필요하다. 이 지식은 병력과 신체검사를 통해 구체화되며 치료는 일차적으로 연관통이 있는 부위가 아닌 통증유발점이 있는 부위에 이루어져야 한다.

2) 철저한 해부학적 접근

통증유발점이나 유발부위를 차단하는 것은 연관통의 원인과 연관현상을 감소시킬 수 있다. 한 군데 이상의 유발점이 존재한다는 것을 명심해야 하며 좋은 치료결과를 위해서는 모든 근육을 검사해야 한다. 또한 반드시 피해야 하는 신경이나 혈관 같은 중요한 기저 구조물을 포함하는 부위를 알아내는 것도 중요하다.

3) 자세한 설명

치료를 시작하기 전 치료목적과 수기에 대하여 환자에게 상세히 설명해야 한다. 환자는 통증의 연관부위보다 유발점에 치료하는 이유에 대해 분명히 인식하고 있어야 한다. 통증유발점에 압력을 가하거나 주사를 할 경우 다른 부위로 통증이 방사되는 것을 환자에게 설명해야 한다.

4) 치료 자세 및 주의할 점

앉은 자세에서 자주 발생할 수 있는 심인성 동맥 저혈압을 예방하거나 그로 인한 손상을 최소화하기 위해 똑바로 눕거나 엎드린 자세가 좋으며, 옆으로 눕는 자세가 환자를 안정시키고 근육을 이완하는 가장 좋은 방법이다. 치료 전에 환자를 반복적으로 안심시키고, 각 수기에 대한 정보를 제공해야 한다. 혈관 미주반응 또는 심인성반응을 치료하기 위해 산소를 준비하는 것은 필수적이다. 통증유발점 주사는 항응고제 복용 또는 출혈성 질환, 주사부위 혹은 전신 감염, 국소마취제 과민, 급성 근육외상, 주사에 대한 과다한 공포 등의 경우 금기이다.

2. 치료

1) 통증유발점 주사의 목표

통증유발점 주사는 활동성 통증유발점을 기계적으로 파괴시키거나 비활성화 시키는 방법이다. 활동성 통증유발점이 비활성화 되는 기전으로는 근섬유와 신경말단의 기계적 자극, 통증을 유지시키는 악성 순환고리 기전의 차단, 사용된 국소마취제 또는 생리식염수에 의한 통증전달 물질의 희석, 국소마취제의 혈관확장 효과에 의한 대사산물의 제거 등으로 추측된다.

2) 촉진

통증유발점 주사법은 근막통증증후군 치료에서 과학적인 근거와 연구를 통해 가장 인정받는 치료법이다. 통증유발점 주사는 통증유발점을 가는 바늘로 정확히 포착하는 의사의 기술에 상당히 의존한다. 주사할 통증유발점을 찾기 위해서는 단단한 띠를 찾는 것이 중요하다. 손가락으로 문지르거나(편평 촉진, flat palpation), 엄지와 검지 손가락으로 잡거나(집게 촉진, pincer palpation), 손가락으로 눌러서(심부 촉진, deep palpation) 단단한 띠를 찾아 피부용 연필이나 펜

(pen)으로 표시를 해둔다.

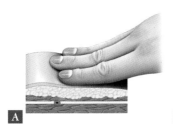  

Figure 4. 통증유발점의 촉진
A. 편평촉진, B. 집게 촉진, C. 심부 촉진

3) 주사법과 유의사항

바늘이 피부를 통과할 때 발생하는 날카로운 통증을 통증유발점을 통과할 때 발생하는 묵직한 통증보다 아프게 느끼는 경우가 많다. 특히 두려움이 많거나 통증에 민감한 환자에서는 차가운 스프레이 제제(vapocoolant, cold spray)나 젖은 솜 등을 사용하면 냉각 마취와 환자를 안심시키는 효과를 볼 수 있으며 바늘 자입과 동시에 주위 피부를 자극하면 통증을 줄일 수 있다. 손목을 사용한 빠른 피부 자입, 피부를 당기거나 잡아서 긴장도를 증가하는 방법도 바늘이 통과하는 힘을 덜 느끼게 하는 방법이다. 피부는 감염을 막기 위해 알코올 등으로 소독한다. 알코올이 남아 있으면 피부 자입 시 통증이 더 심할 수 있으므로 마를 때까지 기다린다. 환자에게 바늘이 통증유발점을 통과할 때 발생할 수 있는 통증이나 불편감, 근육경련 등을 미리 알려야 하며, 또한 연관통의 위치를 시술자에게 알리도록 함으로써 통증유발점과 연관통의 관계를 환자가 이해하게 되고 효과적인 치료가 가능하게 된다.

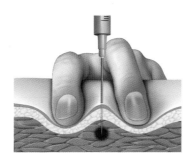

Figure 5. 통증유발점 주사
주사 시 단단한 띠가 움직이지 않도록 두 손가락 사이에서 시술해야 한다.

4) 주사바늘

사용하는 바늘은 일회용으로서 통증유발점을 관통할 수 있도록 날카로워야 한다. 바늘의 굵기는 시술자의 선호도와 기술, 부위에 따라 달라진다. 심부 근육은 25 G, 5 ㎝ 바늘로 표층 근육은 27 G, 2 ㎝ 바늘을 사용한다. 가는 바늘은 출혈 및 국소마취제의 혈관내 주입과 주사로 인한 통증을 줄일 수 있지만, 통증유발점을 기계적으로 파괴시키는 데 불리하다. 또한 너무 가는 바늘은 매우 단단한 띠를 찌르지 못하고 휘거나, 바늘이 조직을 통과하는 느낌을 시술자가 인지하는 것을 방해할 수 있다. 바늘의 길이는 원하는 근육의 통증유발점에 도달할 수 있도록 적당해야 하며, 너무 짧아서 허브와 연결부위까지 삽입하다가 부러지는 일이 없도록 해야 하고, 너무 길면 바늘이 휘고 목표를 벗어나기 쉽다.

5) Taut band로의 접근

Flat palpation의 경우 두 손가락으로 번갈아 눌러서 통증유발점의 위치를 확인하고 두 손가락 사이에 끼워 단단한 띠가 주사 시 움직이지 않도록 한다. Pincer palpation의 경우 엄지와 검지 손가락으로 근육을 굴려보아 통증유발점의 위치를 확인하여 잡는다. Deep palpation의 경우 엄지와 검지 손가락으로 눌러서 가장 압통이 심한 부위를 향해 바늘을 자입한다. 중심부 통증유발점의 경우 위와 같은 방법으로 환자가 약간 통증을 느끼게 근육에 어느 정도 긴장도를 가하면 단단한 띠가 주사 시 움직이지 않도록 하는 데 도움이 되며, 또한 지혈효과도 얻을 수 있다. 접합부 통증유발점의 경우 근부착 부위에 증가된 압통점으로 확인되며 대부분 단단하게 만져진다. 단단한 띠나 단단한 근부착 부위가 없고 압통만이 애매하게 퍼져있는 부위는 대개 연관통 영역이며, 이 부위에 주사하는 것은 일시적으로 진통효과를 보일지는 몰라도 치료 효과는 없다.

6) 주사치료의 시작

통증유발점을 통과할 때 바늘과 손가락으로 동시에 촉각적 시지각(tactile vision)을 확인할 수 있다. 주사기를 잡은 손을 환자의 몸에 밀착시키면 주사 시 환자의 움직임에 의한 의도하지 않은 자입의 위험을 줄일 수 있다. 바늘을 통증유발점에서 1~2 ㎝ 떨어진 피부에 약 30°로 자입하여 가장 민감한 통증유발점을 관통시켜서 국소연축반응을 유발해야 한다. 통증유발점 주위에서 바늘을 빨리 움직이면(fast-in, fast-out) 근육 손상을 최소화하면서 효과적으로 국소연축반응을 유발할 수 있으며, 이 반응의 발현 정도로 통증유발점 주사의 효능을 예측할 수 있다는 보고가 있다. 근전도(electromyelogram)를 사용하여 자발적인 전기활동을 측정해서 국소연축반응을 찾는 방법이 주사할 부위를 결정하는 데 더욱 효과적인 방법일 수도 있다.

7) 주사 치료 과정

통증유발점이 천자되면 주사기를 당겨서 공기나 혈액 등이 흡인되지 않는 것을 확인하고, 소량 (1 ㎖ 이하)의 용액을 약간의 압력을 가하여 주사한다. 대개 하나의 통증유발점 부위는 여러 개의 활동부위들이 있으며 한번의 피부 자입으로 각 활동부위에 주사하여 모두 비활성화 시켜야 한다. 따라서 여러 번의 바늘 움직임을 통해 국소연축반응을 찾는 것이 필요하다. 바늘을 피하까지 빼서 좌우상하 방향으로 여러 번 자입하여 근육경련이나 근육긴장이 더이상 느껴지지 않을 때까지 통증유발점을 찾아 주사한다.

8) 주사치료 결과

통증유발점을 관통하면 국소적으로뿐만 아니라 연관 부위에도 통증을 유발한다. 주사 시 국소통증, 연관통, 근육수축, 국소경련의 악화는 주사가 정확하게 이루어 졌다는 증거이다. 성공적인 주사는 연관통과 국소연축반응, 국소통증이 소실되고, 단단한 띠가 이완되어 잘 만져지지 않게 되는 것으로 확인할 수 있다. 만약 아무런 경감이 없다면 유발점에 주사되지 않은 것이며 다른 방법으로 시도를 해야 할 것이다. 불완전한 차단은 부분적으로 덜 효과적일 뿐만 아니라 국소마취제의 효과가 사라지면 통증이 더 심해지기 때문에 반복적인 천자로 유발점을 소실시키는 것이 필수적이다.

3. 철저한 병력파악 및 이학검사

통증유발점의 진단 시 자세한 병력과 이학적 검사가 필요하다. 외상이나 만성적인 피로를 일으킬 수 있는 활동이 존재하는지 확인해야 하고, 환자 개인의 과거력 및 가족력을 알아보고 스트레스 정도, 직업적 특성, 동반질환 등에 대하여도 알아야 한다. 이학적 검사로는 촉진이 가장 중요하지만 입증된 진단 기준은 없다. 문헌마다 다르지만 단단한 띠와 압통점, 통증의 재현, 국소연축반응, 관절가동범위의 제한, 자율신경계 증상, 연관통 등 Simons의 기준이 자주 사용되는데 이를 동시에 다 충족시키지 않더라도 최소한 앞의 세 가지 특징(압통증을 가진 단단한 띠에서 평소 통증이 재현)이 있다면 통증유발점으로 진단하여 치료할 수 있다(Table 1). 수기 치료나 통증유발점 주사 등의 치료로 압통점이 불활성화 되는 것으로도 통증유발점을 진단할 수 있다.

Table 1. 통증유발점의 특징

1. Taut band in muscle
2. Exquisite tenderness at a point on taut band
3. Reproduction of the patient's pain
4. Local twitch response
5. Referred pain
6. Weakness
7. Restricted range of motion
8. Autonomic sign (skin warmth, tearing, piloerection)

* 사용 약제: 통증유발점 주사법에 사용되는 제제로 국소마취제, 보톡스(botox), 증류수, 생리식염수, 단순자침(dry needlling) 등 여러 가지가 연구되었다. 이들 방법의 공통적인 특징은 각 약물의 예상 작용기간보다 효과가 오래 지속된다는 것이다.

1. 생리식염수

생리식염수 주입 혹은 단순자침으로도 좋은 효과를 볼 수 있다는 보고도 많지만, 일반적으로 국소마취제를 사용하는 주 목적은 주사와 관련된 국소적 불편감을 줄이기 위한 것이다. 통증유발점 주사에 사용되는 약물 중 가장 많이 연구된 것은 국소마취제이다. 국소마취제를 사용한 통증유발점 주사는 통증척도, 운동 범위, 통증계(algometer)로 측정한 역치 등에서 호전을 보였다.

2. Procaine / Lidocaine

국소마취제 중에서 procaine이 가장 근육독성과 전신독성이 적으며, 운동신경보다 통증인지와 관련 있는 무수초성 C 섬유(unmyelinated C fiber)에 선택적으로 작용하기 때문에 선호된다. Lidocaine도 procaine을 대체하여 흔히 사용되며 procaine보다 마취효과가 오래 지속되지만 주사로 인한 통증 비교연구는 문헌에서 찾기 어렵다. 유발점 주사에 적절한 국소마취제의 농도는 0.5% procaine, 0.25~0.5% lidocaine, 0.125% bupivacaine 0.5~2 mℓ이다. 그 이상의 농도에서는 효과에 차이가 없고 혈관내주사, 신경주위주사, 근육독성 등 합병증의 위험이 높아질 뿐이다. 또한 희석해서 사용하면 첨부된 방부제의 영향을 줄일 수도 있다. 주 사용량에 관한 연구에서는 소량, 특히 1 mℓ 이하의 국소마취제가 효과가 있다는 보고가 있다. 국소연축반응 각 부위에 선택적으로 소량의 약물을 주사하는 것이 한 번에 많은 양을 주사하는 것과 비교해서 효과는 같고 전체적인 근육손상을 줄일 수 있다. 약물의 농도와 총 용량을 전신적 독성반응과 근육의 국소손상의 위험을 감안해야 한다.

3. 스테로이드와 보톡스

스테로이드 주사의 항염증작용은 중심부 통증유발점의 병태생리학적 특성인 침해 수용체의 감작에 효과가 없으며, 여러 부작용을 지니고 있으므로 추천되지 않는다. 하지만 접합부 통증유발점에서 염증이 원인인 경우에는 적용해 볼 근거가 있다고 하겠다. 보톡스, 스테로이드 등은 국소적으로 근육독성이 있기 때문에 반복적인 사용은 바람직하지 않다. 에피네프린은 근육독성이 크므로 첨가하지 않는다.

4. 단순자침

주사액을 사용하지 않고 통증유발점이 존재하는 근육에 여러 번 바늘을 자입할 수 있다.다른 통증유발점 주사와 마찬가지로 국소연축반응을 유발하여 평소의 통증을 재현해야 하고, 근육긴장을 감소시켜야 한다.

* 주사 후 관리

1. 활력징후 확인

환자가 창백, 발한, 실신의 징후를 보이면 치료를 즉시 중단하고 활력징후를 측정한다. 주사 후에 주사부위를 약 2분간 눌러서 지혈을 돕고, 간단한 반창고를 붙인다. 주사 후 온찜질(hot pack)을 하면 운동범위 개선과 시술로 인한 통증 해소에 도움이 되며, 스트레치를 하면 치료효과가 상승된다는 보고가 있다. Travell은 통증유발점 주사 후 해당 근육을 최대 관절가동범위(full range of motion)까지 3번 신장시키는 것을 권장하였다.

2. 주사 후 통증

거의 모든 경우 주사 후 통증을 경험한다. 연관통이 소실되면 주사가 성공한 것이다. 주사부위를 재평가하는 것이 필요할 수도 있지만, 재주사는 대개 주사 후 통증이 사라지는 3~4일 후에 하는 것이 권장된다. 2~3번의 치료에 반응이 없으면 같은 부위에 다시 주사하는 것은 바람직하지 않다. 주사 후 일주일 내에 완전 운동역으로 활동과 운동을 권장하지만, 주사 후 3~4일 내에는 무리한 운동은 삼가도록 한다.

3. 급/만성 환자 관리

급성의 환자들에서는 통증유발점 주사를 하면 대개 국소압통, 연관통, 국소연축반응, 근육운동 제한이 즉시 소실된다. 그러나 수개월이나 수년 동안 있어온 단단한 띠는 즉시 소실되지는 않는다. 지속적인 통증유발점의 활성화로 인한 심한 통증은 통증유발점 주사와 물리치료를 병행하여 3~6주 가량의 집중치료를 필요로 한다. 치료 전 수년간 심한 통증으로 고생한 기왕력이 있는 환자는 수개월 동안 치료에 반응하지 않을 수 있다. 이런 경우 몸 반대쪽이나 전체로 퍼지는 경향이 있는 과활성화된 유발점을 찾아서 더욱 적극적인 치료를 해야 한다.

합병증 및 금기(Complication & Contraindication)

1. 근육내 국소출혈
2. 국소부종
3. 불충분한 통증유발점 제거로 인한 통증유발점의 재활성화
4. 감염
5. 바늘에 의한 직접적인 조직손상
6. 일시적인 신경차단
7. 실신
8. 국소마취제에 의한 알레르기

* 통증유발점 주사 실패요인
1. 문제를 일으키고 있는 활동성이 아닌 잠재성 통증유발점에 주사한 경우
2. 통증유발점이 아니라 연관통 영역에 주사한 경우
3. 바늘이 단단한 띠를 찌르기는 하였으나 통증유발점 근처에 주사한 경우
   (통증유발점을 비활성화하기보다는 자극하는 경향이 있다)
4. 너무 가는 바늘을 사용하여 저항이 있는 부위를 관통하지 못하고 주위로 미끄러진 경우
5. 자극성이나 알레르기를 유발하는 방부제를 넣은 용액을 사용한 경우
6. 부적합한 지혈로 인하여 국소출혈로 인해 자극이 된 경우

보험 진료 지침

분류번호: 사-127 근막동통 유발점 주사자극치료(myofascial trigger point injection therapy)
분류코드: MM131 근막동통 유발점 주사자극치료[1일당]
          MM132 근막동통 유발점 주사자극치료[1일당] – 2부위 이상

보험관련 유의사항

가. 적응증: 근막동통증후군(myofascial pain syndrome)

나. 사용약제: 국소마취제나 생리식염수의 약가는 동 요법의 소정수가에 포함하여 별도 산정하지 아니함. 다만, 부신피질호르몬제의 약가는 약제 및 치료재료의 비용에 대한 결정기준에 의하여 산정함.

다. 실시횟수: 통상 3일 간격으로 7회 정도 산정하며 7회 이상 실시하는 경우에는 진료의사의 소견서를 첨부하여 실시 횟수대로 산정하되, 15회를 초과하여 산정할 수 없음.

라. 다른 물리치료요법을 병행 실시하는 경우: 사101 표층열치료와 사106 단순운동치료는 근막동통유발점 주사자극치료 시 시행되는 일련의 과정으로서 별도 산정할 수 없음. 그러나, 동통제거의 상승효과를 위하여 사104 경피적 전기신경자극치료(또는 간섭파전류치료), 사102 심층열치료를 병행하는 경우 입원 진료 시에는 소정금액을 각각 산정하며, 외래 진료 시에는 동일 목적으로 실시된 중복진료로 보아 병행 실시된 물리치료는 전액을 환자가 부담토록 함.

* 근막통증증후군(myofascial pain syndrome)은 통증유발점(trigger point)으로 인하여 통증뿐만 아니라 이상감각, 경직, 운동장애, 교감신경계 이상 등의 증상을 보이는 질환이다.

근막통증증후군의 유병률은 다양한 보고가 있는데, 내과나 정형외과 외래 환자를 대상으로 한 경우 2~30% 정도로 보고되었으며, 독일에서 2010년 300명 이상의 의사를 대상으로 한 연구에서는 46%의 환자가 활동성 통증유발점(active TrP)을 가지고 있는 것으로 보고되었다. 통증 클리닉에서는 85~90%로 보고되기도 하여 진료과나 의사에 따라 큰 차이를 보인다.

근막통증증후군 치료의 기본원리는 통증유발점을 불활성화시키고 통증경로를 차단함으로써 통증의 악순환 고리를 차단하는 것이다. 교육, 약물치료, 신장 분무요법과 교감신경계 차단술(block), 물리치료와 근육 재활치료, 경피 전기자극, 초음파, 마사지, 통증유발점 주사 등이 있으며 이를 통한 통증의 완화와 정상적인 근육기능의 회복이 치료목표다.

근막통증증후군의 치료에서 통증유발점 주사는 가장 효과적이고 근거있는 치료 방법이다. 통증유발점 주사는 간단해 보일 수도 있지만 시술자의 기술에 효과가 많이 의존하는 방법이며 많은 경험을 통해 기술을 숙련시켜야 한다. 통증유발점 주사 시 시술방법과 치료 횟수 등은 환자의 상태와 이환 부위에 따라 결정되어야 하며 물리치료, 약물치료, 환자교육 등을 병행하면 효과가 증대될 수 있겠다.

REFERENCES

1. Lavelle ED, Lavelle W, Smith HS, Myofascial trigger points, Med Clin North Am. 2007; 91(2): 229-239.
2. Travell JG, Simons DG, Myofascial pain & dysfunction: the trigger point manual. Part1. Baltimore: Williams and Wilkins. 156-166, 1983.
3. Borg-Steing J, Stein J, Trigger points and tender points: one and the same? Does injection treatment help?, Rheum Dis Clin North Am. 1996; 22(2): 305-322.
4. The Korean Pain Society, Pain Medicine. 3rd ed. Seoul: koonja Publishing Inc. 364-368, 2007.
5. Moon CW, Myofascial pain syndrome. Kor J Pain. 2004; 17: 36-44.
6. Gerwin RD, Diagnosis of myofascial pain syndrome. Phys Med Rehabil Clin N Am. 2014; 25(2): 341-355.
7. Borg-Stein J, Iaccarino MA. Myofascial pain syndrome treatments. Phys Med Rehabil Clin N Am. 2014; 25(2): 357-374.

09

말초신경차단술

Peripheral nerve blocks

허준석, 서중근

적응증(Indication)

1. 말초신경차단술은 통증조절을 위한 목적으로 광범위하게 사용될 수 있다.
2. 전신마취가 불가능하거나 피해야 하는 환자들의 국소마취로도 널리 활용된다.

말초신경계

넓은 의미에서 말초신경계(peripheral nervous system)란 중추신경계(central nervous system)인 뇌와 척수를 제외한 모든 신경을 지칭한다. 따라서 말초신경은 우리 몸을 중추신경계와 이어주는 통로이자 감각의 시작 혹은 운동 기능의 끝이라고 볼 수 있다. 말초신경계는 크게 체성신경계(somatic nervous system)와 자율신경계(autonomic nervous system)로 나뉜다. 체성신경은 우리의 의식과 밀접히 관련되어 있으며 뇌신경과 척수신경이 여기에 속하고 감각신경과 운동신경으로 구성된다. 사람의 경우 뇌에서 12쌍, 척수에서 31쌍의 체성신경이 나와 얼굴, 팔, 몸통, 다리 등 우리 몸 구석구석을 움직이고 느끼게 해준다(**Figure 1**). 자율신경은 감각이나 운동과 관계없이 주로 내장 등의 불수의근에 분포하는 신경이며, 교감신경과 부교감신경으로 구성되고 서로 길항작용을 한다. 자율신경의 최고 중추는 시상하부로, 원심성 신경에 의해 내장 여러 기관을 조절하고 있다. 이와 같이 우리 몸에 거미줄처럼 퍼져있는 말초신경은 그 수만큼이나 통증의 원인이 되는 경우가 흔하지만 진단이 모호한 경우가 많아 치료 실패를 하기 쉽다. 말초신경차단술은 이러한 말초신경질환의 효과적인 치료일 뿐 아니라 정확한 진단에도 도움이 되어 신경통증의의 필수적인 술기라 하겠다.

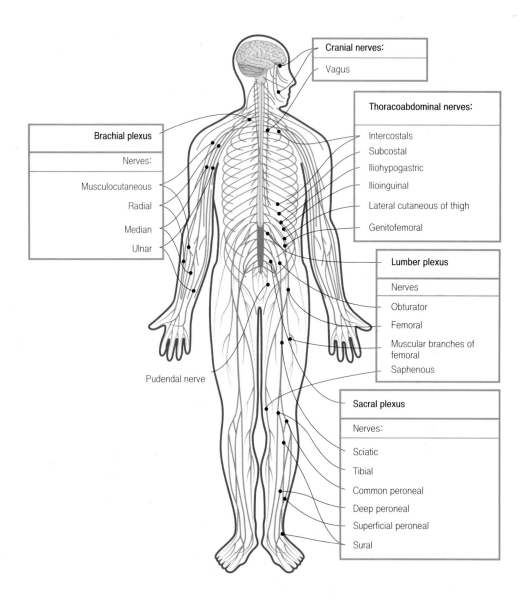

Figure 1. 말초신경계

1. 뒤통수신경차단(occipital nerve block)

PART 2~4. Cervical injection for cervicogenic headache의 내용 참조

2. 갈비사이신경차단(intercostal nerve block)

1) 적응증

갈비뼈/흉추 골절 등의 외상후통증, 대상포진, 흉막염, 갈비뼈/흉추의 암전이 통증 등 갈비사이 신경절 따라 발생하는 통증

2) 해부 및 시술방법: 원칙적으로 갈비뼈가 잘 만져지는 부위라면 어떤 부위라도 가능하다.

(1) 일반적으로 갈비뼈각(costal angle)이 피부에서 가장 가깝기 때문에 좋은 자입점이 된다.

(2) 등 중앙선에서 6~8 cm 위치에서 손으로 갈비뼈를 만지고, 갈비뼈 아래 모서리에서 머리 쪽을 향해 20°가량 바늘을 세워 진입, 갈비뼈의 아래 모서리와 가까운 바깥면에 먼저 바늘이 닿게 한다.

(3) 확실히 뼈가 만져진 후에 바늘을 뒤로 조금 뺐다가 바늘의 각을 10°가량 아래로 줄여서 모서리의 아랫면을 타고 0.5 cm가량 진입한다.

(4) 음압흡인 후 이상이 없다면 약물을 주입한다(Figure 2).

3) 합병증

(1) 갈비뼈 사이 혈관 손상에 의해 혈종이 발생

(2) 가슴막 천자 혹은 폐천자로 인한 기흉, 혈흉 및 폐실질손상이 발생할 수 있다.

* 바늘의 진입이 너무 깊으면 폐를 찌를 수 있으며, 갈비뼈의 안쪽면을 타고 올라가면 갈비뼈사이동맥 혹은 정맥에 손상을 줄 수 있으므로 유의해야 한다. 음압흡인시 피 혹은 공기가 나온다면 바늘을 빼고 5분 이상 압박을 해준 뒤 이상이 없음을 확인한 후 다른 자입점에 재시도한다.

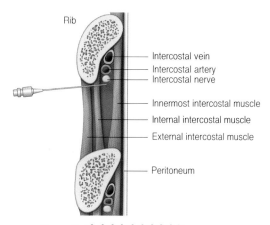

Figure 2. 갈비뼈사이신경차단술

3. 정중신경차단(median nerve block)

1) 적응증: 손목굴증후군(carpal tunnel syndomre)이 임상적으로 의심될 때의 진단 및 치료(Figure 3)

2) 해부 및 시술방법

(1) 환자에게 주먹을 쥐고 손목을 굽히게 하면 노쪽손목굽힘힘줄(flexor carpi radialis tendon)과 긴손바닥힘줄(palmaris longus tendon)이 잘 보이게 된다.

(2) 손목주름의 근위부 지점에서 두 힘줄 사이에 바늘을 수직으로 진입한다.

(3) 수 ㎜ 진입하여 근막이 뚫리는 느낌이 들면 진입을 멈추고 약물을 주입한다(Figure 4).

3) 합병증

(1) 에피네프린을 사용하거나 정중동맥이 손상되는 경우 손의 허혈을 유발할 수 있다.

(2) 정중신경의 손상은 손저림 증세를 악화시킬 수 있다.

(3) 자입 시 힘줄에 손상을 주는 경우 손목 굽힘에 지장을 줄 수 있다.

* 자입 중 환자가 방사통을 매우 심하게 호소한다면 정중신경을 찌르고 있을 수 있으니 1~2 ㎜ 정도 뒤로 뺀 후 통증이 가라앉는지 확인 후 약물을 주입하는 것이 안전하다.

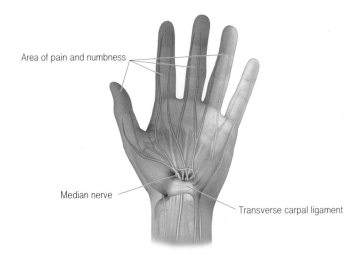

Figure 3. 손목굴증후군의 신경절

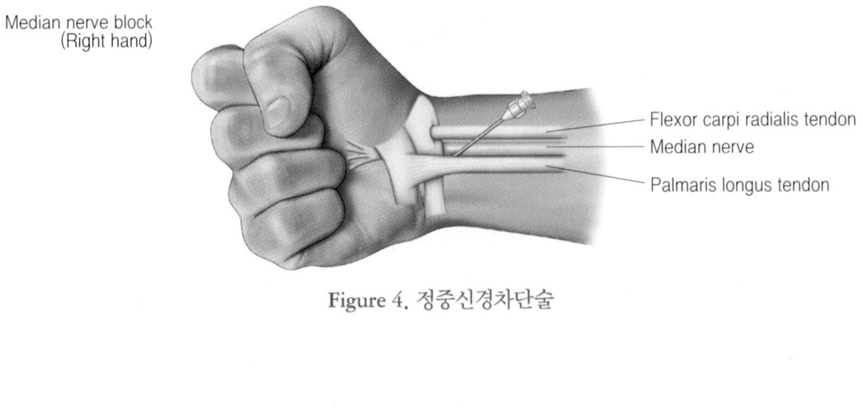

Figure 4. 정중신경차단술

4. 자신경차단(척골신경차단, ulnar nerve block)

1) 적응증

팔꿈치굴증후군(cubital tunnel syndomre) 등 자신경의 죄임(entrapment)이 임상적으로 의심될 때의 진단 및 치료(Figure 5).

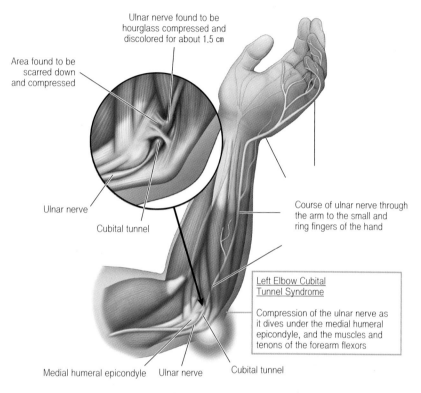

Ulnar nerve found to be hourglass compressed and discolored for about 1.5 cm

Area found to be scarred down and compressed

Ulnar nerve

Cubital tunnel

Course of ulnar nerve through the arm to the small and ring fingers of the hand

Left Elbow Cubital Tunnel Syndrome

Compression of the ulnar nerve as it dives under the medial humeral epicondyle, and the muscles and tenons of the forearm flexors

Medial humeral epicondyle   Ulnar nerve   Cubital tunnel

Figure 5. 팔꿈치굴증후군의 모식도

2) 해부 및 시술방법

(1) 팔꿈치

① 팔꿈치 안쪽부터 4, 5번째 손가락까지 이어지는 방사통이 있다면 팔꿈치굴증후군을 의심할 수 있다.

② 팔꿈치굴은 팔꿈치머리(olecranon), 안쪽상완위관절융기(medial humeral epicondyle), 그리고 아래팔굴곡힘줄(forearm flexor)로 이루어져있으며, 팔꿈치를 90° 굴곡시킨 후 팔꿈치굴을 눌러서 압통이 있는지 확인한다.

③ 압통이 확인된다면 팔꿈치머리와 안쪽상완위관절융기 사이에 바늘을 위팔(arm)과 수직되게 자입한다.

④ 방사통이 발생하면 바로 수 ㎜ 뒤로 뺀 후 약물을 주입한다(Figure 6).

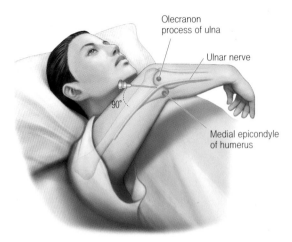

Figure 6. 팔꿈치에서의 자신경차단술

(2) 손목

　① 내측 손바닥부터 4, 5번째 손가락 방향으로 이어지는 방사통이 있으며 손목에서 자쪽굽힘 힘줄(flexor carpi ulnaris)의 외측에 뚜렷한 방사통 유발점이 있다면 자신경 죄임을 의심할 수 있다.

　② 자쪽굽힘힘줄의 바로 외측에서 수직으로 바늘을 진행시킨다.

　③ 방사통이 유발되는 지점에서 2 ㎜ 가량 뒤로 뺀 뒤 음압흡인을 하여 자동맥(ulnar artery)의 손상이 없는지 확인하고 약물을 주입한다(Figure 7).

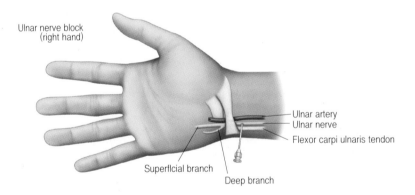

Figure 7. 손목에서의 자신경차단술

3) 합병증

　(1) 심한 당뇨, 항암치료, 투석, 선천성 혈관이상 등의 원인으로 노동맥(radial artery)의 기능이 정상적이지 않은 경우 자동맥 손상은 손괴사 등의 치명적인 합병증을 유발할 수 있다.

(2) 특히 손목에서의 신경차단술을 유의해야 한다.

* 경추신경병증(C8, T1)과의 감별이 중요하다. 팔꿈치굴증후군은 위팔의 증상없이 아래팔만 자신경의 신경절을 따라 통증이 있다는 특징이 있고, 손목에서의 죄임 역시 손바닥과 손가락의 방사통만 있다. 2 ㎖ 이내의 약물로 먼저 진단적 신경차단술을 시행하는 것이 바람직하겠다.

5. 궁둥신경차단(좌골신경차단, sciatic nerve block)

1) 적응증: 궁둥신경통증
2) 해부 및 시술방법
(1) 궁둥신경은 요추4, 5, 천추1-3(L4, 5, S1-3)이 합쳐지는, 우리 몸에서 가장 두껍고 긴 신경이다.
(2) 궁둥구멍근(piriformis muscle) 밑으로 신경이 나와 다리 뒤쪽으로 주행한다.
(3) 주로 궁둥구멍근에서 신경죄임 현상이 있고, 궁둥구멍근 하연에서 신경이 노출되기 때문에 이곳을 자입점으로 잡는 것이 좋다.
(4) 환자에게 통증이 있는 쪽이 위로 오게 옆으로 눕는 자세(lateral decubitus)를 취하게 한 후 엉덩관절(hip joint) 45°, 무릎관절 90° 굴곡을 시킨다(Sim's position).
(5) 큰돌기(greater trochanter)에서 위뒤엉덩뼈가시(PSIS, posterior superior iliac spine)와 엉치뼈틈새(sacral hiatus)를 잇는 선을 각각 그린다.
(6) 큰돌기-위뒤엉덩뼈가시를 잇는 선의 중간에서 수직으로 3~5 ㎝가량 내려오면 큰돌기-엉치뼈틈새를 잇는선과 만나진다.
(7) 이곳에 수직으로 바늘을 자입하면 5~8 ㎝ 전후로 방사통이 얻어진다.
(8) 방사통을 확인하면 수 ㎜ 바늘을 빼서 약물을 주입한다(Figure 8).

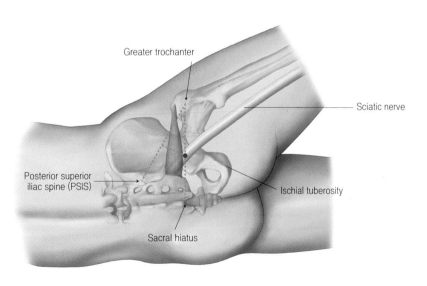

Figure 8. 궁둥신경차단술

3) 합병증

　(1) 하지 운동신경의 일시적 마비가 동반될 가능성이 높다.

　(2) 환자에게 반드시 30분 이상 안정을 취하게 한 후 이상이 없을 시 걷게해야 한다.

　(3) 골반내로 천자가 될 수 있으니 너무 깊게 찌르지 않도록 유의한다.

* 궁둥신경이 크지만 그만큼 엉덩이부위의 지방, 근육도 많아 방사통이 잘 얻어지지 않을 수 있다. 안전하고 정확한 신경차단을 위해서 C-arm이나 초음파를 활용하기를 추천한다.

6. 가쪽넓다리피부신경차단(lateral cutaneous femoral nerve block)

　1) 적응증

　　엎드린 자세에서의 수술, 고관절수술 등 후 발생하는 넓적다리통증(meralgia)이나 외상, 대상포진 등에 의한 샅고랑(서혜부, inguinal) 통증

　2) 해부 및 시술방법

　(1) 가쪽넓다리피부신경은 요추 2, 3번의 후부(posterior division)에서 시작되는 순수 감각신경이다.

　(2) 엉덩근막(장골근막, iliac fascia)을 횡단하고 위앞엉덩뼈가시(ASIS, anterior superior iliac spine)에 바짝 붙어서 샅고랑인대(inguinal ligament) 밑으로 지나간다. `

　(3) 샅고랑인대는 위앞엉덩뼈가시와 두덩뼈결절(pubic tubercle)을 잇고 있는 인대다.

　(4) 이를 촉지하여 위앞엉덩뼈가시에서 2~3 ㎝ 내하방에 압통이 있는지 확인하고 샅고랑인대 바로 아래에서 바늘을 수직으로 진입한다.

　(5) 엉덩근막이 뚫리는 느낌이 나면 멈추고 약물을 주입한다(Figure 9).

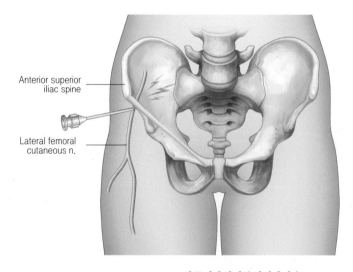

Anterior superior
iliac spine

Lateral femoral
cutaneous n.

Figure 9. 가쪽넓다리피부신경차단술

3) 합병증

자입점이 위앞엉덩뼈가시에서 내측으로 너무 많이 가는 경우 넓적다리 신경 및 혈관을 손상줄 수 있으므로 주의한다.

* 방사통을 얻기 보다는 근막 안에 약물을 퍼트린다는 개념으로 약물을 주입하는 것이 좋다.

합병증(Complication)

1. 혈종, 감염, 신경손상을 우선적으로 염두에 두어야 한다.
2. 약물에 과민한 체질이거나 약물의 양이 과도한 경우 전신적인 증세(빈맥, 어지러움증, 실신, 심정지)가 나타날 수 있으니 신경차단술을 처음 받아보는 환자에게는 많은 양의 약물을 사용하지 않아야 한다.
3. 당뇨가 있는 환자는 일시적으로 혈당이 올라가므로 스테로이드 양을 최소화하거나 넣지 말아야 하며, 사지의 말단부에 시행하는 차단술은 허혈을 유발할 수 있으므로 에피네프린(epinephrine)의 사용은 피한다.
4. 갈비뼈사이차단술의 경우 폐천자로 인해 기흉이 발생할 수 있으므로 유의해야 한다.

금기증(Contraindication)

말초신경차단술의 절대적 금기는 거의 없지만 아래와 같은 경우 조심스러운 접근을 요한다.

1. 환자의 협조가 불가능한 경우
2. 국소마취제에 과민반응(allergy)이 있는 경우
3. 주사부위에 감염이 있는 경우
4. 항혈전제를 복용 중이거나 응고병증이 있는 경우

보험코드

분류 번호: 바-24 척수신경말초지차단술(block of peripheral branch of spinal nerve)
분류 코드: 대소후두신경차단술(gredater or esser occipital nerve) LA241
상후두신경차단술(superior laryngeal nerve) LA242
후두신경차단술(laryngeal nerve) LA243
횡격막신경차단술(phrenic nerve) LA244
척추부신경차단술(spinal accessory nerve) LA245
액와신경차단술(axillary nerve) LA346
액와하부신경차단술(medial, ulnar, radial nerve) LA347

견갑신경차단술(Scapular nerve) LA247

늑간신경차단술(intercostal nerve) LA248

장골서혜신경차단술(ilioinguinal nerve) LA249

장골하복신경차단술(iliohypogastric nerve) LA270

음부신경차단술(pudendal nerve) LA271

좌골신경차단술(sciatic nerve) LA272

폐쇄신경차단술(obturator nerve) LA273

대퇴신경차단술(femoral nerve) LA274

외측대퇴피신경차단술(lateral cutaneous femoral nerve) LA275

상박신경총차단술(brachial plexus) LA276

REFERENCES

1. Lin E, Choi J, Hadzic A. Peripheral nerve blocks for outpatient surgery: evidence-based indications. Curr Opin Anaesthesiol 2013; 26:467.

2. Bingham AE, Fu R, Horn JL, Abrahams MS. Continuous peripheral nerve block compared with single-injection peripheral nerve block: a systematic review and meta-analysis of randomized controlled trials. Reg Anesth Pain Med 2012; 37:583.

3. Pither CE, Raj PP, Ford DJ. The use of peripheral nerve stimulators for regional anesthesia. Regional anesthesia 1985; 10:49.

4. Klein SM, Melton MS, Grill WM, Nielsen KC. Peripheral nerve stimulation in regional anesthesia. Reg Anesth Pain Med 2012; 37:383.

5. Kapur E, Vuckovic I, Dilberovic F, et al. Neurologic and histologic outcome after intraneural injections of lidocaine in canine sciatic nerves. Acta Anaesthesiol Scand 2007; 51:101.

6. Hadzic A, Dilberovic F, Shah S, et al. Combination of intraneural injection and high injection pressure leads to fascicular injury and neurologic deficits in dogs. Reg Anesth Pain Med 2004; 29:417.

7. Bigeleisen PE. Nerve puncture and apparent intraneural injection during ultrasound-guided axillary block does not invariably result in neurologic injury. Anesthesiology 2006; 105:779.

8. 8. Sala-Blanch X, Pomés J, Matute P, et al. Intraneural injection during anterior approach for sciatic nerve block. Anesthesiology 2004; 101:1027.

9. Jeng CL, Torrillo TM, Rosenblatt MA. Complications of peripheral nerve blocks. Br J Anaesth 2010; 105 Suppl 1:i97.

10. Kroin JS, Buvanendran A, Williams DK, et al. Local anesthetic sciatic nerve block and nerve fiber damage in diabetic rats. Reg Anesth Pain Med 2010; 35:343.

11. Selander D, Dhunér KG, Lundborg G. Peripheral nerve injury due to injection needles used for regional anesthesia. An experimental study of the acute effects of needle point trauma. Acta Anaesthesiol Scand 1977; 21:182.

12. Macías G, Razza F, Peretti GM, Papini Zorli I. Nervous lesions as neurologic complications in regional anaesthesiologic block: an experimental model. Chir Organi Mov 2000; 85:265.

13. Verlinde M, Hollmann MW, Stevens MF, et al. Local Anesthetic-Induced Neurotoxicity. Int J Mol Sci 2016; 17:339.

14. Capdevila X, Bringuier S, Borgeat A. Infectious risk of continuous peripheral nerve blocks. Anesthesiology 2009; 110:182.

15. Neuburger M, Büttner J, Blumenthal S, et al. Inflammation and infection complications of 2285 perineural catheters: a prospective study. Acta Anaesthesiol Scand 2007; 51:108.

16. 차영덕 외역, 통증클리닉 신경블록법, 군자출판사

17. 이철우, 페인클리니션을 위한 통증진료의 비법, 대한의학서적

10

추간판조영술

Provocative discography

이창규, 이상원

추간판조영술은 지속적인 요통과 경추통의 원인을 추간판으로 보고 평가하는 방법이다. 천자침 (spinal needle)으로 추간판을 천자 후 조영제를 수핵내로 주입하면서 압력을 측정하고, 조영 양상을 방사선조영기로 관찰하며, 유발되는 통증을 분석하는 검사이다. 조영제 주입 후 환자의 통증이 평소의 통증과 비슷하면 축성통증(axial pain)의 원인을 추간판성통증(discogenic pain)으로 보았다. 1948년 Lindblom이 처음 요추간판탈출증을 평가하기 위하여 시행하였고, 자기공명영상이 나온 뒤로는 만성요통 환자에서 척추유합술의 술전 계획을 세우거나, PSSS (postspinal surgery syndrome)의 평가, 추간판내 전기열치료술(intradiscal electrothermal therapy, IDET)이나 화학적 수핵 용해술(chemonucleolysis) 이전에 진단목적의 보조적인 시술이 되었다.

추간판조영술의 초기 사용이후 진단적 가치에 대한 논란은 끊이지 않고 있다. 추간판조영술이 그동안 안전한 조영제의 개발, 방사선조영기의 화질 개선, 추간판조영술 후 CT 촬영으로 그 정밀도가 높아졌으나 여전히 진단적 특이도(specificity)가 문제되고 있고, 정신질환자, 보상심리, 다른 부위에 수술을 시행한 경우 등에서 위양성(false positive)이 발생하는 문제가 있다. 또한 검사의 신뢰성과 타당성에 대한 논란은 지속되는데, 예를 들어, 검사를 시행하지 않은 사람에 비해 시행한 사람들의 결과가 좋았다는 보고가 없었고, 추간판을 천자하고 조영제 주입하는 것에 대한 장기간 안전성의 문제는 검사에 대한 의문을 갖게 만들고 있다. 이러한 문제들을 극복하기 위한 방법으로 압력이나 용량, 통증 정도를 정량화하는 자동디스크검사 장치(automated discography)나 FAD (functional anesthetic discography) 등 새로운 추간판자극술이 소개되고 있다.

적응증(Indication)

1. 만성 축성통증(neck pain, back pain)
2. 추간반성 통증으로 유합술 부위 결정
3. 척추수술후통증증후군(postspinal surgery syndrome, PSSS) 후 통증 재발 시 수술 위, 아래 level 평가

4. IDET, chemonucleolysis 이전

5. 극외측추간판 탈출증, 수술 후 유착 및 재발성 추간판 탈출증(MRI 감별 안될 시)

6. 다발성 추간판탈출증 시 통증 유발 병변 확인

술기(Procedure)

퇴행성 추간판질환의 정확한 진단을 위해 X-ray, CT, MRI과 같은 영상검사와 생리학적 검사로 근전도검사, 적외선체열검사(DITI)가 사용되고 있으나 상기 검사로는 설명되지 않거나 추간판 퇴행성 변화와 섬유륜파열을 포함한 추간판내장증(internal disc disruption)의 진단에 더 민감한 검사는 추간판조영술이다.

1. 환자 자세와 준비

1) 수술 전 항생제(주로 cefazolin 1.0 g)를 투여한다.

2) 방사선 투과성 침대 위에 옮겨 복와위(prone position)를 취하게 한다.

3) 환자를 복와위로 두면 통증이 유발되어도 척추를 움직이는 범위가 제한되어 검사 및 촬영이 용이하다.

2. 천자 위치와 방사선조영기(C-arm)의 위치

1) 추간판천자는 위양성의 통증반응을 줄이기 위해 주증상이 있는 곳의 반대쪽에서 가급적 시행한다.

2) 제1-2요추에서 제4-5요추 사이: C-arm을 사면상(oblique)으로 하여 상관절돌기(superior articular process, SAP)의 끝이 찌르고자 하는 추간판의 상하, 좌우의 가운데에 위치하도록 하고 22 G needle을 C-arm 입사각으로 천자한다.

3) 제5요추-제1천추: C-arm을 oblique으로 한 상태에서 caudal 방향으로 조절해 준다. Target은 제5요추의 lower endplate, 제1천추의 SAP, iliac crest로 이루어진 window이다. 이 작은 삼각형이 보이도록 C-arm으로 조절하고 needle 끝을 일부 구부린 상태에서 접근하면 용이하다.

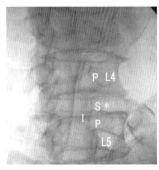 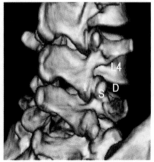

* : Safety zone needle insertion point
I: inferior articular process
S: superior articular process
D: disc
P: pedicle

Figure 1. 영상 유도 척추 추간판조영술 시술법 L45 level

C-arm oblique view를 보며 L45 disc endplate를 수평으로 맞춘 뒤 SAP lateral safety zone을 통해 needle approach를 시행한다.

3. 천자 후 조영제 주입

1) 천자침의 끝이 정확하게 수핵의 전후, 측면 영상에서 중앙에 위치하도록 해야 하며, 주입되는 조영제의 양은 2~3 cc로 제한해야 한다.

2) 추간판의 수핵을 천자침이 통과할 때 약간의 저항이 있으며, 환자는 대부분 요통을 호소한다.

3) 대조군을 포함하여 천자를 마친 뒤 압력계가 연결된 주사기에 조영제를 채워 대조군부터 주입한다.

4) 최소한 1마디 이상의 추간판을 대조군으로 시행하며, 압력을 정확하게 측정하여 50 psi 미만에서 유발되는 동일한 통증만을 양성으로 한다.

5) 천천히 주입하면서 천자침 끝에 조영제가 나오는 순간 주입을 멈추고 압력이 평형을 이루는 상태에서 압력을 측정하여 이를 추간판 고유의 내부압으로 한다.

6) 이 압력을 0으로 두고 이때부터 다시 조영제를 천천히 주입하면서 주입 용적과 압력을 정확히 기재한다.

7) 압력은 단계별로 끊어서 평형을 이루는 압력을 측정하는 방식(static pressure)과 지속 주입을 하면서 압력을 측정하는(dynamic pressure) 방식이 있다.

8) 통증이 VAS 6점 이상으로 유발되거나, 압력이 50 psi 이상이거나, 주입 용적이 3 cc 이상이면 주입을 중단하여야 한다.

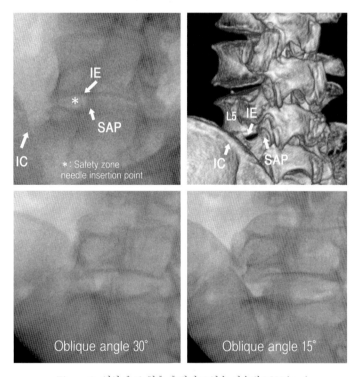

Figure 2. 영상 유도 척추 추간판조영술 시술법 L5S1 level

L5S1 level은 iliac crest height에 따라 접근이 제한이 될 수 있다. C-arm oblique view를 보며 L5S1 endplate의 평행을 맞춘 뒤 iliac crest로 가로막혀 있다면 oblique view angle을 lateral safety zone이 보일 때까지 줄인다. 다른 level보다 좀 더 수직으로 needle approach가 이루어지므로 nerve root irritation 등에 주의를 기울이도록 한다.

9) 유발된 통증이 평소 통증과 동일하거나(concordant) 유사한(similar) 경우이면서 압력이 50 psi 미만, 용적이 3 cc 미만에서 유발된 경우 양성(positive disc)으로 판정한다.

10) 수술실에서의 추간판조영술을 마치고 나서 1시간 내에 CT를 촬영하여야 하며 CT로 추간판 내부의 형태를 추가적으로 확인할 수 있다.

4. 시술 후 처치

1) 시술 후 2시간 정도 환자를 관찰한다. 특별한 증상이 없으면 퇴원 가능하다.

2) 일정 기간 동안 격렬한 동작이나 무거운 물건 들기는 금지된다.

3) 하루 정도 요통 또는 방사통이 있으나 대부분 자연 소실되며, 경우에 따라서는 진통제를 복용하는 경우도 있다. 드물게 추간판염이 발생할 수 있다.

결과 해석

1. 통증 반응

1) No response: 주입 시 통증이나 압력이 없음

2) Nonconcordant: 통증이 있으나 평소 통증과는 다른 강도나 부위의 통증

3) Concordant or similar: 평소 통증과 일치하거나 유사한 통증

Derby 등은 조영제 주입시 과도한 압력이 위양성에 영향을 줄 수 있다고 하여 압력을 조절하여 주입 시(pressure-controlled discography) 위양성의 위험을 줄이고 significant pain을 감별할 수 있다고 보았다. 이에 Table 1과 같이 disc를 classification하여 통증정도와 통증반응을 분석하였다.

Table 1. Pressure-controlled discography

Disc Classification	Intradiscal Pressure at Pain Provacation	Pain Severity	Pain Type	Interpretation
Chemical	Immediate onset of pain occurring as <1 ㎖ of contrast is visualized reaching the outer annulus, or pain provocation at <15 PSI above opening pressure	≥7/10	Concordant	Positive
Mechanical	Between 15 and 50 PSI above opening pressure	≥7/10	Concordant	Positive (but other pain generators may be present; further investigation is warranted)
Indeterminate	Between 51 and 90 PSI	≥7/10	Concordant	Further investigation warranted
Normal	>90 PSI	No pain or pressure	NA	Negative

2. 방사선 조영상(C-arm)(Figure 3)

1) Cotton ball pattern

(1) 정상

(2) Contrast is a centralized mass within the nucleus

2) Lobular or Hamberg pattern

(1) 정상

(2) Contrast is centralized with two distinct arcs juxtaposed to the superior and inferior end plates

3) Irregular pattern

(1) Intermediate between normal and pathological

(2) Tracking outside the central nucleus without annular extension

4) Fissured pattern

(1) Pathologic

(2) Extension of contrast into the outer margins of the annulus

5) Ruptured pattern

(1) Pathologic

(2) Complete tear in the annulus with contrast extension into the epidural space

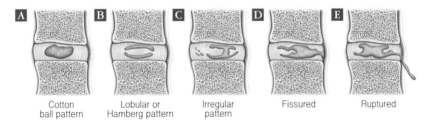

A	B	C	D	E
Cotton ball pattern	Lobular or Hamberg pattern	Irregular pattern	Fissured	Ruptured

Figure 3. 방사선 조영상(C-arm) pattern

3. CT finding by Modified Dallas discogram scale(Figure 4)

Grade 0 조영제가 정상 수핵안에 국한

Grade 1 조영제가 섬유륜의 내측 1/3에 국한

Grade 2 조영제가 섬유륜의 중간 1/3에 국한

Grade 3 조영제가 섬유륜의 외측 1/3에 국한

Grade 4 조영제가 섬유륜의 외측 1/3까지 있으면서 추간판 둘레의 많은 부분을 차지

Grade 5 섬유륜 바깥으로 조영제 유출이 보이는 전층 파열

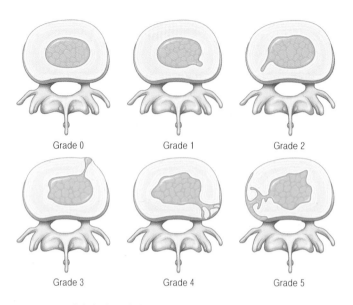

Grade 0   Grade 1   Grade 2

Grade 3   Grade 4   Grade 5

Figure 4. 전산화 단층 촬영 소견(Modified Dallas discogram scale)

합병증(Complication)

1. 감염(infection)
2. 지속적인 통증 유발(prolonged pain episode)
3. 부적절한 시술로 인한 잘못된 진단이 될 수 있다(misleading diagnosis resulting in inappropriate or nonproductive invasive treatments).
4. 디스크의 퇴행을 조장할 수 있다(accelerated disc degeneration).

금기증(Contraindication)

1. 응고장애(INR>1.5 or platelet count<50,000/㎣)
2. 전신 감염 또는 천자 부위 피부 감염
3. 임신
4. 약제(주사제, 조영제) 알레르기
5. Exclusion: facet joint, SI joint origin pain, cancer pain, inflammatory/infection, trauma

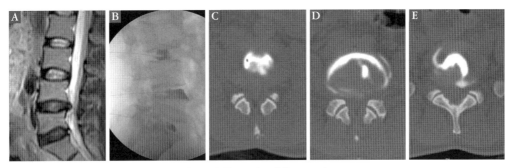

Figure 5. Example of discography

A: MRI상 요추4-5-천추1번 구간의 추간판이 높이는 잘 유지되면서 퇴행성 변화를 보이고 있다.

B: Discography를 요추3-4 구간을 control로 하고 요추4-5-천추1번 구간에 시행하였으며, 두 구간 모두에서 concordant한 통증이 유발되었다. Post-discography CT상에서 요추3-4 구간은 Grade 0 (C), 요추4-5 구간은 Grade V (D), 요추5-천추1번 구간은 Grade IV (E)의 소견이 관찰된다.

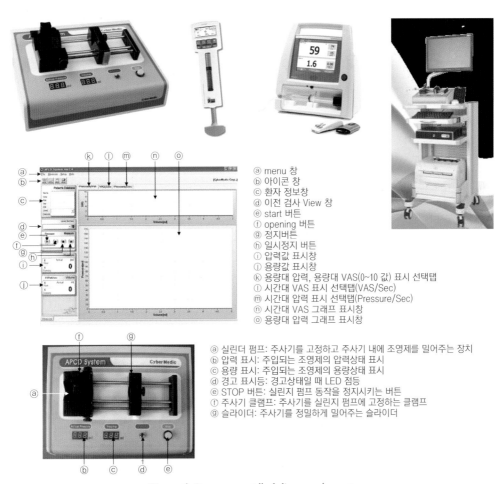

ⓐ menu 창
ⓑ 아이콘 창
ⓒ 환자 정보창
ⓓ 이전 검사 View 창
ⓔ start 버튼
ⓕ opening 버튼
ⓖ 정지버튼
ⓗ 일시정지 버튼
ⓘ 압력값 표시창
ⓙ 용량값 표시창
ⓚ 용량대 압력, 용량대 VAS(0~10 값) 표시 선택탭
ⓛ 시간대 VAS 표시 선택탭(VAS/Sec)
ⓜ 시간대 압력 표시 선택탭(Pressure/Sec)
ⓝ 시간대 VAS 그래프 표시창
ⓞ 용량대 압력 그래프 표시창

ⓐ 실린더 펌프: 주사기를 고정하고 주사기 내에 조영제를 밀어주는 장치
ⓑ 압력 표시: 주입되는 조영제의 압력상태 표시
ⓒ 용량 표시: 주입되는 조영제의 용량상태 표시
ⓓ 경고 표시등: 경고상태일 때 LED 점등
ⓔ STOP 버튼: 실린지 펌프 동작을 정지시키는 버튼
ⓕ 주사기 클램프: 주사기를 실린지 펌프에 고정하는 클램프
ⓖ 슬라이더: 주사기를 정밀하게 밀어주는 슬라이더

Figure 6. Pressure-contrlled discography system

APCD system (SB Medical, 한국), Discmonitor (Stryker, 미국), CDS system (Smith and Nephew, 미국)보다 정확한 discography data를 얻기 위한 장비로 환자의 증상과 디스크 내의 압력을 비교하여 분석할 수 있는 장비이다.

분류번호: 다-210 추간판조영촬영(spinal discography)

분류코드: HA103 척추-추간판조영촬영

　　　　　HA104 척추-추간판조영촬영(1구간 초과 시 구간당, 최대 3구간)

추간판조영술의 적응증

추간판탈출증의 진단과 치료, 경피적 추간판절제술의 적응 판정

추간판성통증의 치료

REFERENCES

1. Rothman-Simeone The Spine sixth edition Discography p280-293
2. Image-Guided Spine Intervention Douglas S. Fenton, Leo F. Czervionke저, 서울대학교병원 마취통증의학과 이상철, 김용철 역, Discography p225-255
3. Derby R, Howard MW, Grant JM, Lettice JJ, Van Peteghem PK, Ryan DP: The ability of pressure-controlled discography to predict surgical and nonsurgical outcomes. Spine (Phila Pa 1976) 24:364-371; discussion 371-362, 1999.
4. Pfirrmann CW, Metzdorf A, Zanetti M, Hodler J, Boos N: Magnetic resonance classification of lumbar intervertebral disc degeneration. Spine (Phila Pa 1976) 26:1873-1878, 2001.
5. Shin DA, Kim HI, Jung JH, Shin DG, Lee JO: Diagnostic relevance of pressure-controlled discography. J Korean Med Sci 21:911-916, 2006.
6. Manchikanti L, Glaser SE, Wolfer L, Derby R, Cohen SP: Systematic review of lumbar discography as a diagnostic test for chronic low back pain. Pain Physician 12:541-559, 2009.
7. Manchikanti L, Benyamin RM, Singh V, Falco FJ, Hameed H, Derby R, Wolfer LR, Helm S, 2nd, Calodney AK, Datta S, Snook LT, Caraway DL, Hirsch JA, Cohen SP: An update of the systematic appraisal of the accuracy and utility of lumbar discography in chronic low back pain. Pain Physician 16:Se55-95, 2013.
8. Kim HG, Shin DA, Kim HI, Yoo EA, Shin DG, Lee JO: Clinical and radiological findings of discogenic low back pain confirmed by automated pressure-controlled discography. J Korean Neurosurg Soc 46:333-339, 2009.

11

척수신경자극술

Spinal cord stimulation

이태규, 양세연, 김성호

적응증(Indication)

1. 복합부위통증증후군(complex regional pain syndrome, CRPS)
2. 척추수술후통증증후군(postspinal surgery syndrome, PSSS)
3. 포진후 신경통(postherpetic neuralgia)
4. 당뇨병성 신경통
5. 말초신경손상과 변성으로 인한 말초신경의 신경병성통증(peripheral neuropathic pain) 및 허혈성 통증

척수신경자극술의 통증조절 기전

척수 후근의 구심성 신경섬유인 작은 유수신경(small Aδ fibre)과 무수신경(unmyelinated C fibre)으로 전달되는 통증감각이 일반 촉각, 진동감이 전달되는 굵은 유수신경(myelinated Aβ fibre)에 의해 전달이 억제된다는 문(gate; gate control theory)이 척수 후근 진입부에 존재한다(Figure 1).
척수신경자극술의 기전도 완벽하게 알려져 있지는 않았으나 신경병성통증(neuropathic pain)과 허혈성통증(ischemic pain)에 효과가 큰 것으로 알려져 있으며, 기전은 다음과 같다.

1. 척수후각세포(dorsal horn cell) 중 광범위 반응세포(wide dynamic range neuron, WDR neuron)의 과민반응을 억제하고, 척수 후각(dorsal horn)에서 신경전달물질과 신경조절물질(GABA, glycin, adenosine, 5-HT)의 생화학적 변화를 유발한다.

2. 척수 후주세포(dorsal column fiber)의 역행성 흥분(antidromic activation)을 일으켜 정상적인 척수

후주세포를 흥분시켜 저림감각을 발생시키고, 병적으로 항진된 구심성 통증감각(pathologic afferent signal)을 시냅스전 억제(presynaptic inhibition)하는 역할도 있다.

3. 후주 신경핵(dorsal column nuclei) 같은 척수상방의 회로를 조절하여 하행성 억제성 경로를 활성화시키는 역할도 있다. 또한 허혈성 통증에서는 자율신경계의 조절기능도 있는 것으로 알려져 있다.

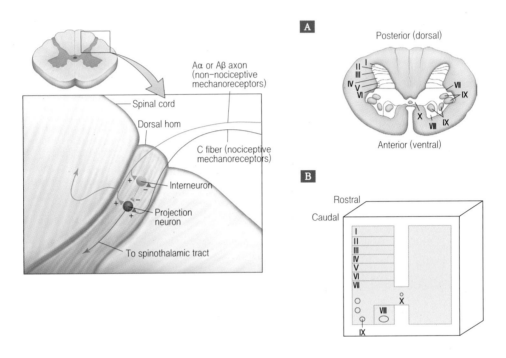

Figure 1. 문 가설(gate control theory)
Melzak and Wall proposed the gate control theory. In the 1965 Science article

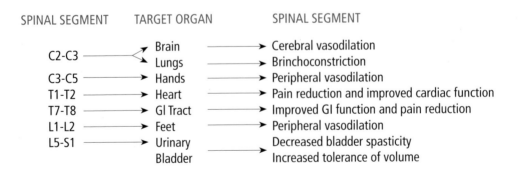

Figure 2. 척수신경 부위에 따른 작용점

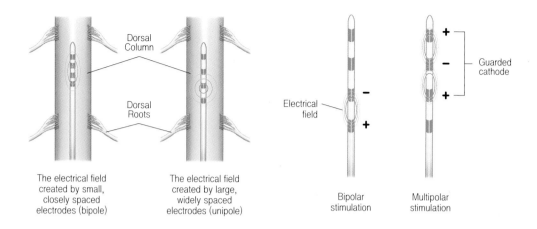

Figure 3. 단극성 전기자극은 전기장의 형성이 전극을 중심으로 강하고 주변으로 등전압으로 세기가 약해지면서 넓게 퍼져 자극이 척수에 일부는 강하게 그리고 세기가 균일하지 않게 넓게 퍼지는 반면 양극성 전기자극은 전기장이 길고 등장싱으로 좁은 영역으로 형성되어 운동성 신경섬유통로 등의 주변에 영향을 적게 미쳐 자극척도를 정할때 임상적으로 선호도가 높다.

Figure 4. 척수신경 자극 조절은 intensity (volt, ampere), frequency (Hz), pulse width (μs)로 한다.

척수신경자극술 평가 사정(Evaluation and preparation for SCS)

척수신경자극술은 환자의 통증이 존재하는 피부감각절(dermatome)의 레벨을 확인하고 자극유발 저림(stimulation-induced paresthesia)이 통증 부위를 반드시 포함하여야 한다. 환자의 통증부위와 통증조절의 가능성이 높은 전극의 위치는 임상적으로 알려져 있다.

1) 넓적다리 뒷면: 제11흉추에서 제2요추 사이에 있어야 한다. 제1요추 쪽으로 내려올수록 넓적다리 뒷면의 제1천수신경 부위가 선택적으로 자극이 된다.
2) 발: 전극의 음극(cathode)이 제1요추에 위치할 경우는 거의 100%에서 발의 자극을 느낀다.
3) 허리(low back): 하부 요부, 즉 허리 부위만을 자극하기는 매우 어렵다. 제8/9흉추의 방정중 (paramedian)이 허리부위 자극점으로 알려져 있다.
4) 엉덩이: 제11흉추에서 제1요추 간에서 자극이 되는 경우가 많다.

1. 선 전극과 판 전극의 선택

전극은 경피적으로 삽입이 가능한 선 전극(cylindrical lead, percutaneous lead)과 부분 후궁절제술을 시행해야 삽입이 가능한 판 전극(paddle lead, laminotomy lead)이 있다. 선 전극과 판 전극은 각각 장점과 단점이 있으며, 이의 선택은 시술자의 경험과 선호도에 의해 사용한다(Figure 5).

선 전극은 국소마취하에서 경피적 시술이 가능한 점이 가장 큰 장점이다. 심폐기능의 장애가 있어 전신마취를 선호하지 않는 고령의 환자에게도 쉽게 적용할 수 있다는 좋은 장점이 있다. 선 전극이나 판 전극이나 전극을 통한 실제적인 자극범위가 크게 차이가 나지 않으므로 진통효과에 큰 차이는 나지 않는다. 또한 전극을 삽입하면서 수술장에서 시험자극을 가해서 저림이 발생하는 부위가 통증부위와 일치하는지 확인하기 위해서는 국소마취를 이용한 선 전극이 효과적이며, 판 전극을 삽입하는 경우는 후궁절제를 해야 하기 때문에 국소마취하에서 가능하지만, 경막외마취, 전신마취를 필요로 하는 경우가 대부분이다. 전신마취하에서 후궁절제술을 시행하면 수술 중 시험자극을 통한 전극의 위치조절이 불가능하므로 시험자극을 통해 발생하는 자극유발저림(stimulation-induced paresthesia)이 통증부위에 일치하지 않는 경우, 재수술을 해서 전극위치를 조정하는 시술이 필요할 수도 있다.

선 전극의 가장 큰 단점은 전극선의 위치 이동(lead migration)의 가능성이 판 전극보다 훨씬 많다는 점이다. 전극선의 이동은 선 전극보다는 판 전극이 적으며, 이는 후궁절제를 통한 판 전극은 구조 자체가 약 5 mm 넓이의 안정적인 판형 구조로서 후경막외강에서 선 전극보다 안정적이므로 전극선의 이동이 일어날 가능성이 적고 안정적이다.

또 다른 장점으로 판 전극은 선 전극과 달리 전극의 배면(dorsal side)으로는 전류가 흐르지 않고 척수의 후주를 향해 전 면(ventral side)으로만 전류가 흐르게 되어 있다. 또한 판 전극은 장기적인 척수신경자극술의 효과가 선 전극보다 나은 것으로 보고되어 있으며, 선 전극보다 자극세기가 약해도 동일한 효과를 얻을 수 있어 배터리의 수명을 연장시킬 수 있다. 또한 판전극은 선전극을 사용할 때 흔히 경험하는 자세-의존성 저림 현상(position-dependent paresthesia)이 현저히 적게 발생한다.

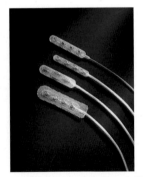

Figure 5. 경피적 용도의 선전극과 후궁절제술 후 사용되는 판전극

1. 경피적 척수신경자극술

1) 복와위로 하고 상복부에 부드러운 베개를 대서 흉 요추의 전굴을 줄여 준다.

2) 경피적 전극 삽입부위를 C-arm으로 확인한 뒤 원하는 경막외강 level보다 한 level 아래에서 비스듬하게 Tuohy needle을 진입하도록 2% 리도카인으로 국소마취한다. 시술자에 따라 국소마취제에 epinephrine과 sodium bicarbonate를 함께 사용할 수도 있다.

3) 약 3 mm 정도의 피부 절개를 시행한 후, Tuohy needle을 방정중(paramedial)에서 비스듬히 진입시켜 아랫 레벨의 후궁과 접촉하여, 미끄러지듯이 제12흉추-제1요추간 후궁간 간격(interlaminar space)으로 Tuohy needle을 넣고, 황색인대(ligamentum flavum) 사이로 needle을 진행시킨다.

4) 경막외강의 확인을 위해 luer lock air syringe를 이용하여 공기저항(loss of air resistance)과 조영제를 이용한 경막외강 조영술(epidurography)를 시행하여 확인한다.

5) C-arm 투시기를 방사선학적 중심이 잘 일치하도록 좌우의 pedicle 간격을 보면서 조정한다.

6) 경막외강을 확인한 후에는 Tuohy needle이 움직이지 않도록 잘 잡고, 전극을 조심스럽게 needle의 내강으로 넣으면서, C-arm 투시기를 보면서 전극을 상방으로 진행시킨다.

   * 선 전극을 삽입하면서 측방으로 전극이 치우치지 않도록 주의하여야 한다. 전극은 척추 정중앙에서 양측 3 mm 이상 떨어지지 않도록 놓아야 불필요한 척수신경 후근의 자극을 피할 수 있으며, 투시화면에서 극돌기의 음영 측면에 전극이 위치하도록 한다.

7) 전극의 끝부분은 guide-wire로 인해 끝이 휘어 있으며, 전극 끝을 돌려가면서(steering) 전극 진행 방향을 조심스럽게 조절하면서 원하는 레벨로 전극을 삽입한다.

   * 전극선의 위치는 원하는 레벨에서 가능한 최대한 상방으로 위치하는 것이 좋다. 전극을 통한 시험자극시, 통증 부위의 커버링이 불충분하면, 전극선을 더 위로 올리기는 힘들기올릴 때 충분히 올리는 것이 좋다(T7-10 level까지 올릴 수 있다).

8) 시험자극을 통해 자극선을 점차 아래로 빼면서 원하는 부위의 자극유발저림이 통증 부위와 일치하는 척추의 레벨에서 전극을 고정한다.

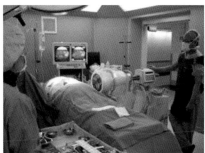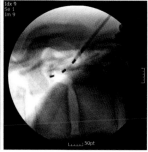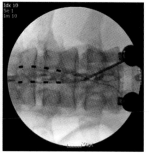

Figure 6. 복와위하에서 경피적 선 전극 삽입술(좌측), C-arm 측방 및 전후방 투시화면(중간 및 우측)

2. 관혈적 판 전극의 삽입(implantation of laminotomy, paddle electrodes)

1) 전신마취 또는 척수마취하에 복와위로 한다.

2) 제8/9흉추에 적극 삽입하려 한다면, 제10흉추체 후궁절제 및 아래측 후궁을 극돌기 포함하여 여유 있게 제거한다.

   * 판 전극이 휘는 것이 한계가 있으므로 전극을 삽입하는 각도가 작을수록 신경손상의 위험성이 적어진다.

3) 판 전극을 경막외강으로 넣기 전에는 반드시 C-arm 투시기를 사용하여, 척추의 비틀림을 보정하여, 척추를 방사선학적 중앙부(radiological midline)을 맞추어 놓고 전극을 삽입한다.

4) 전극을 고정하고 시험자극을 위한 연결선(extension cable)을 연결을 하고, 국소마취 시술이라면 전극이 비틀어지지 않도록 조심스럽게 고정하고 수술중 시험 자극을 시행한다.

5) 전극이 원하는 레벨에 위치하고 방사선학적 중앙부에서 벗어나지 않았는지 확인한다.

6) 앵커를 이용하여 인대에 고정 결찰을 시행하고, 창상을 봉합한다.

7) 드레인(drain)을 삽입하는 경우는 드레인을 뽑을 때 전극위치가 변하지 않도록 조심해야 한다.

3. 수술 중 시험자극(intraoperative stimulation)

1) 원하는 척추 레벨에 삽입한 후에는 확장선(extension cable)을 이용하여 수술장에서 스크리너 (screener, model 3628, Metronic, MN)를 이용하여 시험자극을 시행한다.

2) 대부분 default setting (210 μs, 50~60 Hz) 자극변수를 설정한다.

3) 4개의 전극이 있는 전극선(quadripolar lead)일 경우 0, 1, 2, 3 contact 중 1(−), 3(+)를 이용하여 0.5 V, 1 V, 1.5 V, 2 V 순으로 점차 자극세기를 올려가면서 먼저 환자가 처음 자극유발저림을 느끼는 역치를 확인한다.

4) 환자가 처음 느끼면 조금씩 세기를 올려가면서 어느 정도 자극이 강해서 환자가 확실히 저림을 느낄 때, 통증부위가 오버랩(overlap) 되는지 확인한다.

5) 시험자극에서 통증부위와 자극유발저림이 오버랩될 수 있도록, 오버랩되는 부위에 전극선 위치를 조절한다.

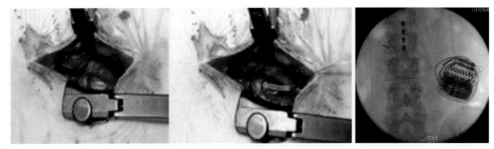

Figure 7. 후궁절제를 통한 판 전극 삽입 과정 및 삽입 후 C-arm 투시 화면

4. 전극의 고정(fixation and securing the electrode)

1) C-arm 투시기를 보면서, 전극선의 위치가 변화하지 않도록 확인하면서 전극 안에 있는 guide-wire를 조심스럽게 제거한다.

2) C-arm 투시기를 보면서, 전극의 원위부를 잡고 전극선이 빠져나오지 않게 주의하면서 Tuohy needle을 조심스럽게 뒤로 뺀다.

3) 외부로 나온 전극선 상방 5 ㎜와 하방 약 3 ㎝까지 국소마취제로 침윤마취를 시행하고, 피부절개를 시행한다.

4) 피하까지 절개한 후 근막과 근육에 다시 국소마취제로 마취한다.

5) 전극이 움직이지 않도록 주위하고, 앵커(anchor)를 전극에 넣고 앵커를 흡수되지 않는 실크 1-0를 이용하여 근막에 단단히 봉합한다.

6) 말단부에 나온 전극선은 전극의 염좌(strain)를 막기 위해 약 2 ㎝의 원(strain-relief loop)을 만들어 한, 두 바퀴 정도 말아주고, 약 10~15 ㎝의 피하 터널을 만들어 시험자극을 위한 선을 피부 밖으로 빼준다.

7) 피하조직을 봉합하고, 피부를 봉합한다.

5. 수술 후 처치와 시험자극(postoperative management and trial stimulation)

1) 시험 자극 시 앙와위의 편안한 자세를 취하게 한다.

2) 통증 부위 커버되는 자극 세기를 설정한다.
   * 이때 환자에게는 시험자극기 사용법을 교육하는데 앉을 때와 설 때 자극세기를 설정을 교육하고 나머지 자극 변수는 의료진이 설정한다.
   * 자극의 회수(frequency)를 100 Hz 이상 올리면 자극이 좀 더 날카롭게 느끼는 경향이 있고 회수를 50 Hz 이하로 내리면 좀 더 순하고 툭툭 튀는 자극을 느끼게 된다.

3) 통증의 평가는 환자의 주관적 평가로 한다. 누워 있을 때와 서 있을 때 앉아 있을 때 통증의 완화 정도를 평가한다.

4) 통증의 평가는 수술창에 의한 통증을 줄여주는 진통소염제만 사용한다.
   * 신경병성통증에 대한 기존 약물과 마약성 진통제를 중단하여야 객관적으로 통증을 평가할 수 있다. 50% 이상 통증의 감소한다면 마약성 진통제 중단 및 가바펜틴 등 신경병성통증 약물을 줄일 수 있다.

5) 시험자극 기간은 3일에서 일주일 정도 시행할 수 있다. 일반적으로 하루 정도면 어느 정도 통증의 정도를 파악할 수 있다.

6. 이식파발생기의 삽입(implantation of internal pulse generator, IPG)

1) 하부흉추 부위 전극이 있는 경우 좌측 또는 우측 하부 복벽에 설치하기 위해 측와위로 자세를 취한다.
   * 복부에 설치하지 않고 둔부에 전류발생장치를 설치할 수도 있다.

2) 하부복부 수술부위 소독을 시행하고 전하부위 복벽 약 3~5 ㎝의 절개를 한다.

3) 피부와 피하지방을 분리하여 근막을 노출시키고, 피하지방을 근막 위에서 박리하여 포켓을 만든다.

4) 허리와 복부의 중간 지점에서 1~2 ㎝의 절개를 통해 피하지방 아래에서 터널을 만들어, 복부 절개부까지 연결한다.

5) 이식파발생기를 연결선의 원위부와 연결을 한다.
   * 렌치(wrench)를 너무 세게 조이지 않도록 유의하며, 연결전극 부위에는 물이나 피가 묻지 않도록 깨끗이 닦는다. 이는 전극선의 부식을 막기 위함이다.

6) 전극선을 이식파발생기와 연결한 후에는 피하의 포켓에 넣고, 흡수되지 않는 1-0 실크를 이용하여 전류발생장치를 근막의 두 군데에 고정을 시행한다.

7) 피부봉합 시 피하지방의 손상을 줄여 추후 피하지방이 위축되어 피부 미란(erosion)이 일어나지 않도록 주의한다.

7. 시술 후 관리와 경과추적(management and follow-up at outpatient clinic)

시술 초기는 한두 달마다 경과를 보면서 자극 변수를 조절하며 자극전극의 contact를 바꾸던지, 자극 변수를 조절한다.

* 초기에 만족스럽게 조절이 잘된 경우 대부분 추후 자극변수를 조절할 필요는 없지만 자주 조절이 필요한 경우는 자극술 초기에 만족스런 진통효과를 보이지 못한 경우가 많다. 척수신경자극술을 시행한 환자 중 일부는 만족스러운 진통효과가 시간이 갈수록 감소하는 경우가 있으며, 자극기의 하드웨어와는 관련이 없다.

보험 진료 지침

분류 번호: 저-621
분류 코드:
 관혈적 척추 신경 자극기 설치, 교환 및 제거술
  SY621 신경근 절개하는 경우
  SY622 신경근 절개를 하지 않는 경우
 영구 자극 설치술(경피적)
  SY633 자극기 설치술
  SY634 자극 분석 및 재조정
  SY635 자극발생기 교환술
  SY636 전극 및 자극 발생기 제거술
 시험적 거치술(경피적)
  SY637 전극 설치술 및 시험적 자극술
  SY638 자극 분석
  SY639 전극 제거술

* 척수신경자극기 설치, 교환 및 제거술(관혈적) – 신경근절개를 하는 경우, 하지 않는 경우

행위정의: 조절되지 않는 심한 통증이 동반되는 경우, 후궁절제술 혹은 특수바늘 등으로 척경막외 척수강부위에 전극을 위치시키고 피하에 Pacemaker 설치하는 행위

적응증
1. 조절되지 않는 극도의 척수성통증
2. 척추수술후 증후군 등에서 발생하는 난치성통증

세부 인정 사항
저-621 척수신경자극기 설치술의 인정기준은 다음과 같은 경우에 요양급여를 인정하며, 동 인정기준 이외 시행하는 경우에는 전액 본인 부담토록 함.

1. 6개월 이상의 적절한 통증치료(약물치료와 신경차단술 등)에도 효과가 없고, 심한 통증(VAS 7 이상)이 지속되는 불인성 통증이 있는 경우
2. 약물치료, 신경차단술, epidural morphine injection 등 적극적인 통증치료를 6개월 이상 실시함에도 불구하고 심한 통증(VAS 통증점수 7 이상)이 지속되는 암성통증으로 여명이 1년 이상 예상되는 경우

REFERENCES

1. Shealy CN, Mortimer JT, Reswick JB: Electrical inhibition of pain by stimulation of the dorsal columns: preliminary clinical report. Anesth Analg 1967;46:489-491.

2. Choi KC, Son BC, Hong JT, et al: Spinal cord stimulation for the neuropathic pain caused by traumatic lumbosacral plexopathy after extensive pelvic fractures. J Kor Neurosurg. 2005;38:234-237.

3. Shetter A: Spinal cord stimulation in the treatment of chronic pain. Curr Rev Pain 1997;1:213-222.

4. Barolat G, Massaro F, He J, Zeme S, Ketcik B: Mapping of sensory responses to epidural stimulation of the intraspinal neural structures in man. J Neurosurg 1993;78:233-239.

5. Linderoth B, Meyerson BA: Spinal cord stimulation: mechanisms of action. in Burchiel K (ed), Surgical Management of Pain. New York: Thieme Medical Publishers; 2002, p.505-526.

6. North RB: Spinal cord stimulation, patient selection. in Burchiel K (ed): Surgical Management of Pain. New York: Thieme Medical Publishers; 2002.p.527-534.

7. North RB, Kidd DH, Olin JC, et al: Spinal cord stimulation electrode design: prospective, randomized, controlled trial comparing percutaneous and laminectomy electrodes - Part I: technical outcomes. Neurosurgery 2002;51:381-390.

8. Villanueva L, Bernard JF, Le Bars, D: Distribution of spinal cord projections from the medullary subnucleus reticularis dorsalis and the adjacent cuneate nucleus: a Phaseolus vulgaris-leucoagglutinin study in the rat. J Comp Neurol 1995;352:11-32.

9. Johnson MR, Tomes DJ, Treves JS, et al: Minimally invasive implantation of epidural spinal cord stimulator electrodes by using a tubular retractor system. J Neurosurg 2004;1119-1121.

10. JM Henderson: Intrathecal opioids: mechanism of action in Surgical management of pain, in KJ Burchiel (ed), Thieme; 2002.p577-589.

11. Arner S, Arner B: Differential effect of epidural morphine analgesia. Acta Anaesthesiol Scand 1985;29:32-36.

12. Yaksh TL: Spinal opiates: a review of their effect on spinal function with emphasis on pain processing. Acta Anaesthesiol Scand. 1987;31:25-37.

13. Follet KA. Intrathecal opioids: technique and outcomes. in Surgical management of pain, in KJ Burchiel (ed), Thieme; 2002.p.614-623.

14. Schuchard M, Krames ES, Lanning R: Intraspinal analgesia for nonmalignant pain: a retrospective analysis for efficacy, safety, and feasibility in 50 patients. Neuromodulation. 1998; 1:46-56.

15. 15. Levy RM: Intrathecal opioids: patient selection. in Surgical management of pain, in KJ Burchiel (ed), Thieme; 2002. p.592-599.

16. Im SH, Ha SW, Kim DR, Son BC: Long-term results of motor cortex stimulation in the treatment of chronic, intractable neuropathic pain. Stereotact Funct Neurosurg 2015;93:212-218.

17. Fontaine D, Hamani C, Lozano A: Efficacy and safety of motor cortex stimulation for chronic neuropathic pain: critical review of the literature. J Neurosurg 2009;110:251-256.

18. North RB, Campbell JN, James CS, et al. Failed back surgery syndrome; 5-year follow-up in 102 patients undergoing repeated operation. Neurosurgery 1991;28:685-90.

19. Waguespack A, Schofferman J, Slosar P. Reynaolds J. Etiology of long-term failures of lumbar spine surgery. Pain Med 2002;3:18-22.

20. Myerson BA, Linderoth B. Mode of action of spinal cord stimulation in neuropathic pain. J Pain Symptom Manage 2006;31:S6-12.

21. Kumar K, Taylor RS, Jacques L, et al. Spinal cord stimulaton versus conventional medical management for neuropathic pain: A multicentre randomized controlled trial in patients with failed back surgery syndrome. Pain 2007;132:179-188.

22. Tayler RS, Van Buyten JP, Buchner E. Spinal cord stimulation for chronic back and leg pain and failed back surgery syndrome: A systemic review and analysis of prognostic factors. Spine 2004;30: 152-160.

23. North RB, Kidd DA, Frroki F, Piantadosi S. Spinal cord stimulation versus repeated spine surgery for chronic pain: A randomized control trial. Neurosurgery 2005;56:98-107.

24. Manca A, Kumar K, Taylor RS, et al. Quality of life, resource consumption and costs of spinal cord stimulation versus conventional medical management in failed back surgery syndrome (PROCESS trial). Eur J Pain 200812:1047-58.

25. North RB, Kidd D, Shiplas J, Taylor RS. Spinal cord stimulation versus reoperation for failed back surgery syndrome: A cost effectiveness and cost utility analysis based on a randomized controlled trial Neurosurgery 2007;61:361-8.

26. Frey ME, Manchikanti L, Benyamin RM, et al. Spinal cord stimulation for patients with failed back surgery syndrome: A systematic review. Pain Physicain 2009;12:379-97.

27. North R, Shipley J, Prager J, et al. American Academy of Pain Medicine. Practice parameter for the use of spinal cord stimulation in the treatment of chronic neuropathic pain. Pain Med 2007;8:S200-75.

PART 3

PART **3**

01

고주파를 이용한 디스크내 치료법

Intradiscal radiofrequency procedures :
Percutaneous disc decompression & nucleoplasty

김도형, 김영수

경추부 고주파수핵성형술(Cervical radiofrequency nucleoplasty)

적응증(Indication)

1. 연성 디스크(soft disc)나 급성기, 아급성기 디스크
2. 상지 방사통이 축성통증보다 우세한 경우
3. 자기공명영상촬영(MRI) 상 디스크 돌출(contained type disc protrusion)
4. 보존적 치료(약물, 물리재활치료, 기타주사요법)에 호전이 없는 경우
5. 추간판 높이가 50% 이상인 경우
6. 경한 협착증

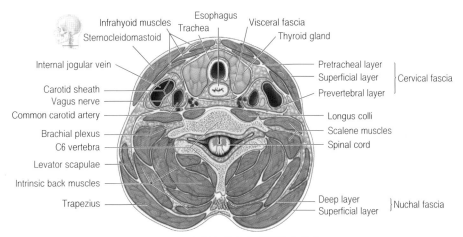

Figure 1. 경추부 횡단면 해부학적 위치
총경동맥, 기도, 식도, 경추부 추간반

1. Position: 앙와위(supine position)로 경추 받침대를 목 뒤에 받쳐 약간 신전하게 한다. 환자마다 목의 신전각도가 다르기 때문에 수술용포를 둥글게 말아서 사용할 수도 있다.

2. Monitor: 환자 감시장치를 부착하고, 비강 캐뉼라를 통해 산소를 분당 3 L로 투여한다. 시술 시 환자가 민감하게 반응할 수 있으므로 midazolam 2~5 ㎎을 선택 정주한다.

3. Fluoroscopy: 병변의 반대 측에서 전방 접근한다. 전후면상(true AP view)을 촬영하여 병변 부위를 확인하고 유도바늘이 들어간 위치를 정한다. 그리고 측면상(true lateral view)을 촬영하여 시행하고자 하는 추간판과 그 추간판의 각도(종판 각도)를 확인한다.

4. Local anesthesia: 2% 리도카인을 채운 5 ㎖ 주사기를 사용하여 병변부위 피부에 삽입한 후 혈액이 흡인되지 않는 것을 확인하고 국소마취를 시행한다.

5. Insertion of introducer needle: 시술자의 손가락을 이용하여 환자의 총경동맥(common carotid artery)을 바깥쪽으로 밀고-주로 두 번째 손가락을 사용, 기도와 식도는 안쪽으로 민다-주로 세 번째 손가락을 사용. 좌우 병변에 따라 두 번째, 세 번째 손가락의 미는 기관은 바뀔 수 있다. 이렇게 손가락의 압력을 이용해서 밀고 들어가면 경추체를 직접적으로 촉지할 수 있고 압력으로 생긴 공간으로 유도 바늘(introducer needle)을 밀어 넣는다. C-arm으로 전후면상과 측면상을 통해 유도 바늘의 위치 및 깊이를 확인 확인해보고 유도바늘의 각도를 수정한다. 그 후 유도바늘을 측면상에서 속침(stylet)을 제거하고, 경추용 감압침을 삽입하여 고정 결합한다.

6. Ablation: 경추용 감압침을 고주파 발생기에 연결한 후 시험적으로 응고(coagulation)를 약 1~2초 정도 시행하여 환자의 상지의 움직임이나 이상감각이 없음을 확인한 후 절제(ablation)를 2 혹은 3 단계의 강도에서 한번에 5초간 coblation을 시행한다. 이후 C-arm을 보며 유도바늘을 후퇴하여 같은 방법으로 수핵성형술을 시행한다. 기구마다 차이가 있을 수 있는데 360° 돌리면서 coblation하는 기구(arthrocare system)가 있고 foot pedal을 한번 누르면 5초간 ablation이 되는 기구도 있으며 제조사마다 시술하는 방법에 약간의 차이가 있을 수 있다. 시술 과정 중 환자가 이상감각이나 통증을 호소할 경우 유도바늘을 후퇴하고 신경 자극을 확인한다. 이러한 일련의 과정은 각 추간판 병변의 정도나 크기에 따라 횟수와 기간 그리고 강도를 증감 적용한다.

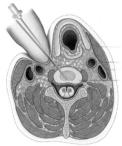
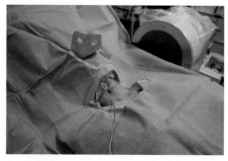

C5-C6 disk
Internal jugular v.
Common carotid a.
Sternocleidomastoid m.

Figure 2. 환자는 앙와위로 누운 자세에서 손가락을 이용하여 SCM muscle을 바깥쪽으로 밀면 총경동맥과 속목정맥이 바깥쪽으로 밀리게 되고 다른 손가락을 이용하여 기도와 식도는 안쪽으로 민 후 공간이 확보된 상태에서 유도바늘을 디스크 안으로 밀어 넣는다.

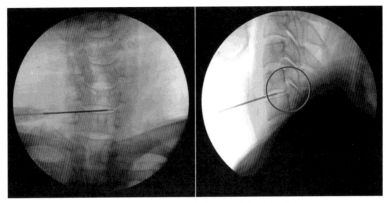

Figure 3. C-arm 투시하에 전후면상 및 측면상

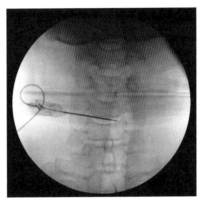

Figure 4. C-arm AP 사진

기도는 내부에 공기가 있기 때문에 X-ray상에서 확인할 수 있다. 손가락의 압력으로 기도와 식도를
측방으로 밀고 공간이 생긴 부위에 유도바늘을 밀어 넣는다. 유도바늘이 병변 반대 측에서
비스듬한 각도로 들어가므로 기도와 식도를 손상시킬 위험은 거의 없다.

합병증(Complication)

1. 합병증은 매우 드물지만 출혈과 감염에 대해서는 모든 비수술적 치료에서 항상 신경을 써야 한다.

2. 가능한 합병증으로 서맥, 호너증후군, 애성 등이 있을 수 있으나 일시적이고 보존적 치료에 잘
   반응한다.

3. 고주파 작업을 오래 하거나 무리한 작업을 할 경우 디스크 간격의 붕괴 혹은 퇴행성 변화가 빠르
   게 올 수 있고 디스크 내에서 고주파 카테터 팁이 부러져 박혀 있는 경우도 있으니 시술 시 주의
   해야 한다.

4. 특히 고주파 시술을 과도하게 한 경우 열성 무균성 디스크염(thermal aseptic discitis)이 생길 수
   있다는 점을 염두에 두어야 한다.

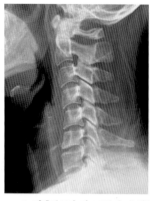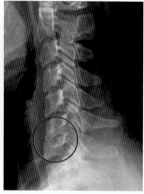

Figure 5. 경추6-7번 간 고주파 수핵성형술 후 1년 뒤 찍은 경추X-ray 사진
시술 후 증상 없이 지냈으나 X-ray상 경추6-7번 간 디스크가 autofusion된 상태이다.
무리하게 고주파 수핵성형술을 시행하지 않도록 주의를 요한다.

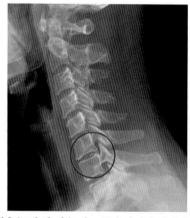

Figure 6. 경추6-7번 간 시술 시 고주파 카테터 말단이 부러진 경우
시술 후 infection 소견이나 환자 자각증상은 없었고 지속적인 외래 추적 관찰 중이다.
한정된 공간에서 무리한 조작으로 말단 부위가 손상될 수 있으니 주의를 요한다.

금기증(Contraindication)

1. 뼈돌기(bony spur) 혹은 딱딱한 디스크(hard disc)
2. 자기공명영상촬영(MRI) 상 중등도 이상의 척추관 혹은 척추공 협착증
3. 추간판 높이가 50% 미만인 경우
4. 척수병증(myelopathy) 혹은 진행되는 신경학적 소견이 있는 경우
5. 내경동맥 협착과 동맥경화 소견이 심한 경우
6. 심박동기(cardiac pacemaker)나 심장보조장치(electronic device)가 있는 경우
7. 이전 같은 마디 수술을 받은 경우

요추부 고주파수핵성형술(Lumbar nucleoplasty)

적응증(Indication)

1. 연성 디스크(soft disc)나 급성기, 아급성기 디스크
2. 자기공명영상촬영(MRI) 상 디스크 돌출(contained type disc protrusion)
3. 보존적 치료(약물, 물리재활치료, 기타주사요법)에 호전이 없는 요통 및 하지 방사통이 있는 경우
4. 디스크 내장증(disc bulging), 디스크성 요통(discogenic back pain)
5. 추간판 높이가 50% 이상인 경우
6. 추간판조영술(discography) 상 일치하는 통증(concordant pain)

술기(Procedure)

1. Position: 복와위 자세(prone position)로 배의 압력을 낮추는 자세가 좋다.
2. Monitor: 환자 감시장치를 부착하고 시술 시 환자가 민감하게 반응할 수 있으므로 midazolam 2~5 ㎎을 선택 정주한다.
3. Fluoroscopy: 병변 부위에서 후방 접근한다. 전후면상(true AP view)을 촬영하여 병변 부위를 확인하고 유도바늘이 들어간 위치를 정한다. 그리고 측면상(true lateral view)을 촬영하여 시행하고자 하는 추간판과 그 추간판의 각도(종판 각도)를 확인한다.
4. Local anesthesia: 2% 리도카인을 채운 5 ㎖ 주사기를 사용하여 병변부위 피부에 삽입한 후 혈액이 흡인되지 않는 것을 확인하고 국소마취를 시행한다.
5. Insertion of introducer needle: 극돌기(spinous process)로부터 약 8~10 ㎝ 외측에서 약 35~45° 각도로 유도 바늘(introducer needle)을 밀어 넣는다. C-arm으로 전후면상과 측면상을 통해 유도 바늘의 위치 및 깊이를 확인 확인해보고 유도바늘의 각도를 수정한다. 그 후 유도바늘을 측면상에서 속침(stylet)을 제거하고, 요추용 감압침을 삽입하여 고정 결합한다.
6. Ablation: 요추용 감압침을 고주파 발생기에 연결한 후 C-arm을 보면서 고주파 카테터 팁의 위치를 확인하면서 약 5초간 절제(ablation)를 2 혹은 3단계의 강도로 시행한다. 고주파 카테터를 제거한 후 미세집게(forcep)를 사용하여 수핵을 제거하는 기구도 있어 수핵감압술을 보다 효과적으로 시행할 수도 있다. 제조사마다 시술하는 방법에 약간의 차이가 있을 수 있기에 각 기구의 이용방법을 정확히 숙지한 후 시술을 시행한다. 시술 과정 중 환자가 이상 감각이나 통증을 호소할 경우 고주파 카테터를 후퇴하고 신경 자극을 확인한다. 이러한 일련의 절제 과정은 각 추간판 병변의 정도나 크기에 따라 횟수와 기간 그리고 절제 강도를 증감 적용한다. 그 후 유도바늘과 고주파 카테터는 C-arm 확인 하에서 제거한다.

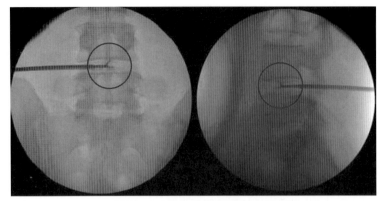

Figure 7. 집게(forcep)를 사용하여 수핵을 제거하는 모습

C-arm true AP, Lat view를 보면서 forceping 할 위치를 결정한다.
영상에서 디스크 중심부에 수핵이 있으므로 중심부를 벗어나지 않는 범위에서 수핵을 제거한다.

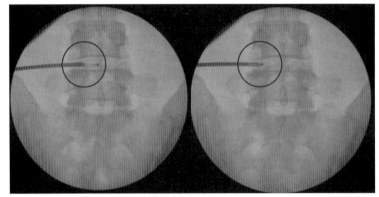

Figure 8. C-arm true AP에서 고주파 카테터 팁의 위치

1번은 수핵부위 디스크 성형술을 하는 장면, 2번은 섬유륜부위 디스크 성형술을 하는 장면이다.

합병증(Complication)

1. 합병증은 매우 드물지만 출혈과 감염에 대해서는 모든 비수술적 치료에서 항상 신경을 써야 한다.
2. 가능한 합병증으로 디스크염과 신경근 손상 등이 있을 수 있다.
3. 집게(forcep)를 이용하여 수핵을 제거하는 과정에서 무리하게 기구를 사용하는 경우 집게가 부러질 수 있으니 시술 시 주의해야 한다.
4. 수핵의 범위를 벗어나 섬유륜을 집게로 제거할 경우 시술 후 통증을 호소할 수 있어 수핵이 있는 범위에서 집게 사용을 하도록 한다.

금기증(Contraindication)

1. 격리된 추간판(sequestrated disc)
2. 추간판 높이가 50% 미만인 경우
3. 뼈돌기(bony spur)가 있거나 딱딱한 디스크(hard disc)
4. 자기공명영상촬영(MRI) 상 중등도 이상의 척추관 혹은 척추공 협착증
5. 척수병증(myelopathy) 혹은 진행되는 신경학적 소견이 있는 경우
6. 척추전방전위증(spondylolisthesis), 척추불안정성(spinal instability)
7. 감염

보험 진료 지침

분류번호: 조-83
분류코드: SZ083
적용일자: 2005.01.01
급여여부: 비급여

정의 및 적응증
균열된 요추 추간판 섬유륜을 고온의 열을 가하여 소작시킴으로써 섬유륜의 변성을 초래하고 섬유륜에 분포하는 통증 감각체를 탈감작시켜 만성요통을 치료함.

REFERENCES

1. 허동화, 박춘근B. 대한척추신경외과학회 척추학. 2nd ed. 서울: 군자출판사. P. 1013-9, 2013.

2. Daniel HK, Kim KH, Kim YC. Minimally invasive percutaneous spinal techniques: Elsevier 2011, 250-8.

3. Sim SE, Ko ES, Kim DK, Shin HY, et al. The results of cervical nucleoplasty in patients with cervical disc disorder: a retrospective clinical study of 22 patients. The Korean journal of pain. Mar 2011;24(1):36-43.

4. Chen YC, Lee SH, Chen D. Intradiscal pressure study of Percutaneous disc decompression with nucleoplasty in human cadavers. Spine 2003; 28: 661-5.

5. Bonaldi G, Baruzzi F, Facchinetti A, et al. Plasma Radio-Frequency-Based Diskectomy for Treatment of Cervical Herniated Nucleus Pulposus. Feasibility, Safety, and Preliminary Clinical Results. Am J Neuroradiol. 2006; 27(10): 2104-11.

6. Nardi PV, Cabezas D, Cesaroni A. Percutaneous cervical nucleoplasty using coblation technology. Clinical results in fifty consecutive cases. Acta Neurochir Suppl. 2005; 92: 73-8.

7. Phillipp Maximilian Eichen, Nils Achilles, Volker Konig, et al. Nucleoplasty, a minimally invasive procedure for disc decompression: A systemic review and meta-analysis of published clinical studies. Pain Physician 2014; 17:E149-73.

8. Manchikanti L, Boswell MV, Singh V, et al. Comprehensive evidence-based guidelines for interventional techniques in the management of chronic spinal pain. Pain Physician 2009; 12:699-802.

9. Boswell MV, Trescot AM, Datta S, et al. American Society of Interventional Pain Physicians. Interventional techniques. evidence-based practice guidelines in the management of chronic spinal pain. Pain Physician 2007; 10: 7-111.

10. Sharps LS, Isaac Z. Percutaneous disc decompression using nucleoplasty. Pain Physician 2002; 5: 121-6.

11. Manchikanti L, Derby R, Hirsch JA, et al. A systematic review of mechanical lumbar disc decompression with nucleoplasty. Pain Physician 2009; 12: 561-572.

경피적 척추성형술과
척추후굴 풍선복원술

Percutaneous vertebroplasty and kyphoplasty

박성배, 조경석

적응증(Indication)

1. 내과적 치료에 반응하지 않고 통증을 유발하는 골다공증성 압박골절
2. 척추 혈관종, 거대세포종 등 원발성 척추종양으로 인한 통증으로 내과적 치료에 반응하지 않는 경우
3. 전이성 척추종양, 다발성 골수종 림프종 등으로 인하여 골절과 통증이 동반된 경우
4. 심한 골다공증 환자의 나사못으로 척추경을 통한 후방고정술 시 나사못의 뽑힘 강도(pullout strength)를 강화시키기 위한 경우

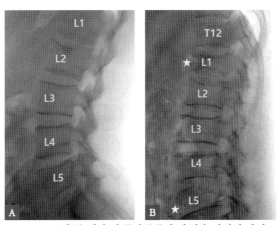

Figure 1. 요추부 정상 및 골다공증 측면 단순 방사선 사진
Normal spine (A) and osteoporotic vertebral fracture (B)

1. 경피적 척추성형술(percutaneous vertebroplasty)

1) 환자 자세는 엎드린 자세로 하고, 혈압, 산소포화도 및 심전도와 같은 환자 감시장치는 필수적
   으로 시행한다.

2) 수술 전에 항생제를 15~20분 전에 투여한다.

3) 척추체에 접근하는 방법은 척추경을 통한 방법(transpedicular approach)과 척추경을 피하고
   직접 척추체에 접근하는 방법(extrapedicular approach)이 있다.
   척추경 경유방법이 가장 흔한 방법이나 척추경 경유방법이 어려울 경우에는 척추경을 피하고
   척추체에 직접 시멘트를 주입할 수 있다.

4) 시멘트를 주입할 부위의 척추체의 끝판(endplate)이 겹치지 않게 C형 투시기를 위치한다.

5) 위치한 C형 투시기로 영상을 촬영하면서 시멘트 주입을 위한 주사기의 바늘이 들어갈 위치를
   정하여서 절개할 피부, 연부조직 및 골막까지 국소마취한 후에 1 ㎝ 정도 피부 절개를 한다.

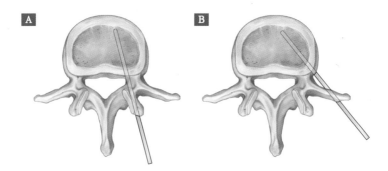

Figure 2. 척추체 바늘 삽입 방법: 척추경을 이용하는 방법과 척추경을 이용하지 않는 방법
A. transpedicular approach, B. extrapedicular approach

6) C형 투시기로 척추체의 전후, 측방 화면을 확인해 가면서 바늘의 위치가 척추경에 위치하여
   척추체에 적절히 삽입이 되는지 확인을 한다(Figure. 3).

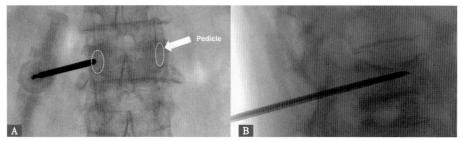

Figure 3. 척추경을 통한 척추체 접근법
A. anteroposterior view, B. lateral view

7) 시멘트를 주입하기 전에 조영술을 실시하여 주위 혈관으로 직접 조영제가 배액될 경우, 바늘의 위치를 전진 혹은 후진을 하여 조영제가 직접 배액되지 않는 다른 부위로 위치한다.

8) Barium과 혼합한 골시멘트 PMMA (polymethyl methacrylate)가 치약 같은 점도가 된 상태에서 주입을 하며, 주입방법은 1.0 ㎖ 주사기를 이용하여 도관에 직접 주입하거나, 주입용으로 제작된 다른 기구를 이용하여 천천히 주입한다.

9) 주입 시 척추강내로 혹은 경막외로 주입이 되는 경우는 즉시 중단하고 환자의 신경학적 상태를 살펴봐야 하며, 그 외로 척추체 이외 경로에 시멘트가 주입이 되는지 세심하게 관찰하여야 하며, 그 이외의 장소(예, intradiscal leakage)로 주입이 될 때는(Figure. 4-A, B) 바늘을 조금씩 당겨서 바늘 위치를 변화시킨 후에 시멘트를 주입한다(Figure. 4-C, D).

10) 척추성형술 후에 피부를 봉합하고, 시멘트가 굳는 시간을 고려하여서 환자는 2~3시간 정도는 누워 있는 것을 권고한다.

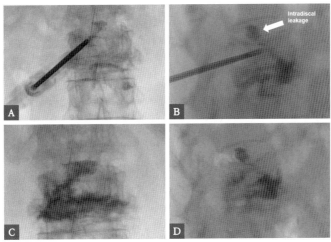

Figure 4. 시멘트가 추간반으로 샌 방사선 사진(A and B)
After reposition of needle, injection of bone cement was done (C and D)

2. 경피적 척추후굴 풍선복원(percutaneous kyphoplasty)

1) 경피적 척추성형술과 접근방법은 동일하나, 다른 점은 척추체에 드릴을 이용하여서 구멍을 만드는 것이다.

2) 아직 펴지지 않은 풍선을 도관을 통해서 삽입을 하여, 척추체에 위치한다.

3) 풍선을 확장하여 골절된 척추체의 높이가 회복되는 것을 확인한 후에 골시멘트를 제거된 풍선이 놓여 있던 자리에 주입을 한다(Figure. 5-A, B, C).

4) 경피적 척추체성형술과 마찬가지로, 골시멘트가 척추체 이외로 주입되는지에 대한 주의가 필요하다.

5) 이후의 과정도 경피적 척추체성형술과 동일하다.

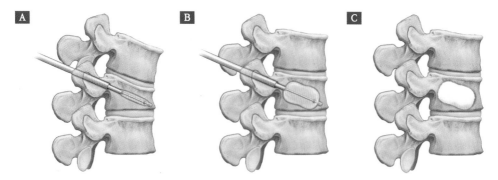

Figure 5. 경피적 척추후굴 풍선복원술 진행 순서

합병증(Complication)

시멘트 유출, 감염, 척추체 및 척추경 골절, 이웃 척추체 압박골절 , 알레르기 반응 및 시술부위 출혈 등

보험 인정 기준((2015.8.1.시행) 고시 제2015-139호(행위))

경피적 척추성형술(vertebroplasty) 인정기준

1. 골다공증성 압박골절로서 2주 이상의 적극적인 보존적 치료에도 불구하고 심한 배통이 지속되는 경우(단, 울혈성심부전, 폐렴, 혈전성 정맥염, 약물로 잘 조절되지 않는 당뇨병환자, 투석을 받는 만성신부전 환자, 80세 이상인 환자는 조기시행 가능)
2. 종양에 의한 골절
3. Kummell's disease

경피적 척추후굴 풍선복원술(kyphoplasty) 인정기준

자47-1 경피적 척추후굴 풍선복원술(kyphoplasty)은 압박변형이 30~60%인 경우로서 다음과 같은 경우에 인정함. 다만, 골다공증성 방출성 골절은 압박변형이 60% 이상인 경우에도 인정함.

1. 3주 이상의 적극적인 보존적 치료에도 불구하고 심한 배통이 지속되는 골다공증성 압박골절(단, 울혈성심부전, 폐렴, 혈전성 정맥염, 약물로 잘 조절되지 않는 당뇨병환자, 투석을 받는 만성신부전 환자, 80세 이상인 환자는 조기시행 가능)
2. 종양에 의한 골절
3. Kummell's disease

* 확인방법

1) MRI 검사 또는 CT와 동위원소 검사에서 증상을 유발하고 있는 병소임이 확인된 경우

2) 단순 방사선 사진의 비교 검사에서 진행성 또는 새로 발생한 압박골절임을 분명히 관찰할 수 있는 경우

3) 골다공증은 이중 에너지 방사선 흡수법(dual-energy X-ray absorptiometry, DXA)을 이용하여 중심골[요추(2부위 이상 측정값의 평균), 대퇴(Ward's triangle 제외)]에서 측정한 Tscore≤−2.5로 확인된 경우

보험 진료 지침

분류번호: 경피적 척추성형술[방사선료 포함] Percutaneous vertebroplasty [including discography]

분류코드: N0471 가. 제1부위
　　　　　N0472 나. 제2부위부터[1부위당]

* 주:

1. 최대 3부위까지만 산정한다.

2. 시술에 사용된 bone cement, needle은 별도 산정하되, needle은 추체당 2개 이내만 산정한다.

분류번호: 경피적 척추후굴 풍선복원술[방사선료 포함] Percutaneous balloon kyphoplasty [including discography]

분류코드: N0473 가. 제1부위
　　　　　N0474 나. 제2부위부터[1부위당]

* 주:

1. 최대 3부위까지만 산정한다.

2. 경피적 척추성형술과 동시에 부위를 달리하여 3부위 이상 실시한 경우에도 시술부위 및 방법 불문하고 합하여 최대 3부위 까지만 산정한다.

3. 시술에 사용된 balloon catheter, bone cement, 시멘트 주입기는 별도 산정한다.

REFERENCES

1. Vafadar S, Rouhi G. The Effects of Geometrical Parameters of the Pedicle Screw on Its Pullout Strength: In-Vitro Animal Tests. J Orthop Spine Trauma, 2017 December; 3(4):e74189.
2. 척추학 3rd edition. 대한척추신경외과 학회

PART **3**

03

경피적 경막외강 신경성형술

Percutaneous epidural neuroplasty

지규열, 고도일

척추질환으로 인한 통증은 사람이 살아가면서 자주 접하게 되는 증상으로 다양한 원인 및 구조물에 의해서 발생한다. 요추부 통증의 경우 보고자에 따라 다양하지만 50~80%의 평생 유병률을 보고하고 있다. 척추통증은 증가된 염증매개체의 화학적 자극에 의하거나, 탈출된 추간판이나 염증에 의해 과증식된 황색인대 및 후관절의 직접적인 압박, 그리고 부어 오른 염증성 신경 구조물이 몸의 움직임에 따라 당겨지거나 눌려 발생하게 된다. 특히, 만성 척추통증은 그 통증의 정도가 심하여 암성통증보다도 더 심한 통증을 보이는 경우가 많다. 이러한 척추통증의 치료로 수술적 방법을 생각하는 것이 보편적이나 사실상 수술적 요법으로 통증을 극복할 수 있는 질환은 제한되어 있다. 추간판탈출증, 척추관협착증 같은 퇴행성 변화, 운동손상 교통사고 낙상 등의 급성 손상, 척추수술 같은 의인성 요인 등 여러 가지 원인에 의해 척추 내 구조물에 염증이 발생하는 경우 신경과 주변 구조물에 발적, 충혈, 부종, 통증 등이 발생하게 된다. 이러한 염증 상태가 오랜 시간 지속되는 경우 척추 내 구조물 주위인 경막외강 공간에 섬유화와 유착이 발생할 수 있다. 경피적 경막외강 신경성형술(percutaneous epidural neuroplasty)은 척추통증의 주된 원인을 유착으로 정의하고, 경막외강 염증이나 유착이 발생한 부위에 정확하게 카테터를 위치시켜 기계적으로 유착을 박리하고, 국소마취제와 생리식염수를 섞어 비교적 많은 용량의 약물을 투여하여 수압(hydrostatic pressure)을 이용하여 염증물질을 씻어내고, 스테로이드, Hyaluronidase (H-lase) 등의 약제를 안전하게 목표 지점에 주입하여 통증을 감소시키는 효과적인 시술이다. 경피적 경막외강 신경성형술은 크게 두 가지로 분류할 수 있다. 내시경을 이용하지 않는 방식(non-endoscopic)과 내시경(endoscopic)을 이용하는 방식으로 나누어지며, 내시경을 이용하는 방식에는 천골구멍을 통해 내시경을 진입시키는 방법과 추간공을 통해 내시경을 진입시키는 방법이 있다(Table 1).

Table 1. 경피적 경막외강 신경성형술의 분류법

대분류	소분류
Non-endoscopic	Soft catheter system
	Navigable catheter system
	Balloon catheter system
	Foraminal resection system
Endoscopic	Trans-sacral epiduroscopic system
	Trans-formainal epiduroscopic system

적응증(Indication)

1. 척추수술 후 통증증후군
2. 만성 척추통증
3. 척추관협착증
4. 추간판탈출증
5. 추간판성통증(discogenic pain)
6. 편타성 손상
7. 척추 전이성 암성통증
8. 골다공증 및 암에 의한 주체 압박골절
9. 감염이나 뇌막염에 의한 경막외반흔 및 유착 질환

해부학적 특징

경피적 경막외강 신경성형술의 치료 효과를 극대화하기 위해서는 카테터의 위치, 즉 약제의 주사 위치가 dura의 전면(ventral aspect)이나 측면(lateral aspect)으로 퍼지는 것이 매우 중요한데 그 이유는 탈출된 disc와 dura의 감각을 지배하는 신경인 sinuvertebral nerve의 해부학적 분포 때문이다(Figure 1).

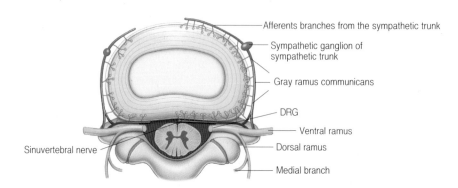

Figure 1. 척추관 내부 구조물은 척추신경의 회귀분지인 sinuvertebral nerve의 신경가지들이 분포하여 추간판 탈출이나 경막의 긴장시에 통증을 유발하게 된다.

〈Main step〉
ⅰ. Patient positioning
ⅱ. Sterile drape
ⅲ. Outer needle placement (Epidurographic diagnosis)
ⅳ. Inner catheter advancement
ⅴ. Position confirmation (Neurolysis or Neuroplasty)
ⅵ. Drug instillation

1. 환자를 척추중재시술용 침대 위에 복와위로 눕히고, 환의를 벗겨 천골부위가 충분히 노출되도록
한 후 다리는 약간 벌린 상태로 힘을 빼고 곧게 뻗게 하여 천골열공(sacral hiatus)이 쉽게 촉지되
도록 한다(Figure 2). 미추강내 접근(caudal approach)을 시행할 경우 환자의 아랫배에 베개를 넣
어 골반을 약간 굴곡시킨다(Figure 3). 비교적 시간이 오래 걸리는 중재시술이므로 수술방에서 천
골부를 소독 후 멸균포를 덮고 수술가운을 입은 채 시술하는 것이 바람직하다.

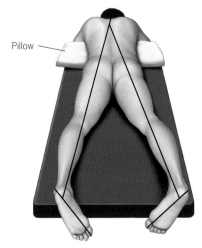

Pillow

Toes pointing inward

Figure 2. 환자를 침대 위에 복와위로 눕히고, 환의를 벗겨 시술부위인 천골부위가 충분히 노출되도록 한 후,
다리는 약간 벌린 상태로 힘을 빼고 곧게 뻗게 하여 천골열공(sacral hiatus)이 쉽게 촉지되도록 한다.

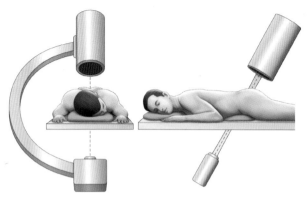

Figure 3. 미추강내 접근(caudal approach)을 시행할 경우 환자의 아랫배에 베개를 넣어 골반을 약간 굴곡시킨다.

2. 감염 방지를 위해 천골열공(sacral hiatus)에서 1inch lateral, 2inch caudal에 2% 리도카인으로 천골열공 위에 skin wheal을 만들고 병변 방향과 contralateral side에서 Tuohy needle을 insertion 시킨다(**Figure 4**).

천골열공이 촉지되지 않거나 구분이 힘든 경우 C-arm 영상증강장치 전후, 외측 영상을 통해 확인한다. 특히 천골 후면 경계의 연속성이 흐려지거나 사라지는 외측 투시영상을 통해 비교적 쉽고, 명확하게 확인할 수 있다.

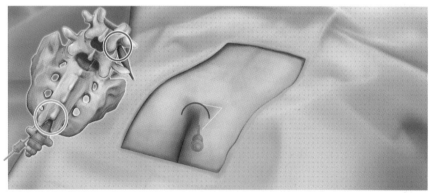

Figure 4. 감염 방지를 위해 sacral hiatus에서 1inch lateral, 2inch caudal에 skin wheal을 만들고 병변 방향과 contralateral side에서 Tuohy needle을 insertion 시킨다.

3. 마취가 이루어지고 나면 17 G 탐침으로 천골구멍위 피부에 작은 구멍을 낸 다음 준비한 Tuohy 탐침을 천골구멍으로 찔러 넣고, 천골미골 인대(sacrococcyheal ligament)를 뚫고 저항이 줄어드는 것을 느낀 후 Tuohy needle을 약간 더 진행시킨다(**Figure 5**). Tuohy needle이 천골공의 전벽에 부딪힐 경우 needle을 180° 돌려서 1 cm 정도 진행시킨 후(**Figure 6**), 다시 시술을 위해 needle을 180° 회전시켜 경막외강으로 진입을 마친다(**Figure 7**).

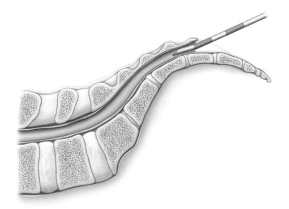

Figure 5. Tuohy 탐침을 caudal space와 같은 각도로 찔러 넣고, sacrococcyheal ligament를 뚫고 저항이 줄어드는 것을 느낀 후 needle의 진행을 멈춘다.

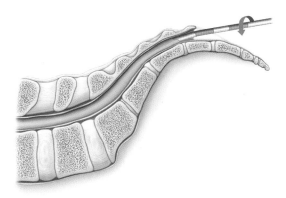

Figure 6. Touhy needle이 천골에 부딪히면 needle을 180° 돌린 후 1 ㎝ 정도 바늘을 진행시킨다.

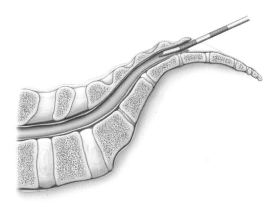

Figure 7. 시술을 위해 다시 needle을 180° 회전시켜 경막외강 안으로 진입을 마친다.

4. 카테터의 끝을 0.5~1inch 정도 길이로 30° 정도 꺾어서 Tuohy needle을 통해 삽입하여 탐침 끝을 경막외강 내로 2~3 cm 정도 전진한 뒤(Figure 8-1). 조영제를 약 5 cc 정도 주입하여 경막외강조영술(epidurography)을 시행한다(Figure 8-2).

Figure 8-1. Soft cathter를 가지고 시술할 경우 카테터 끝에서 약 0.5~1inch 부분에서 약 30° 정도 구부린 후, 천골구멍을 통해 Tuohy 탐침을 삽입하고, 그 속으로 카테터를 진입시킨다.

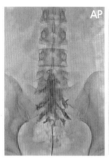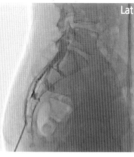

Figure 8-2.
C-arm을 이용한 전후 경막외강조영영상(epidurogram)에서는 조영제가 경막외공간에 퍼지는 것을 확인할 수 있고 (christmas tree pattern), 측면 경막외강조영영상에서는 천골열공을 통해 Tuohy needle이 경막외공간에 위치하고 있는 것을 알 수 있다.

5. 처음으로 시행하는 경막외강조영술은 카테터를 경막의 복측으로 위치시켜 전진시키기 위해 천골신경근의 위치를 파악하는 데 도움이 된다(Figure 9).
   또한 경막외강조영술을 하면서 주사기의 플런저에 전해지는 압력을 느끼고, 환자의 통증 유발 양상을 관찰하면서, MRI의 병변 소견과 증상이 충만결손 부위와 일치함을 확인한다(Figure 10).

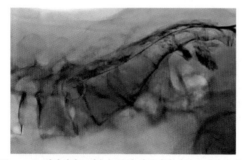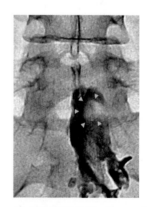

Figure 9. 경막외강조영술을 통해 천골신경 위치를 파악한 후, Tuohy needle을 통해 카테터를 삽입하여 경막의 복측으로 카테터 팁을 쉽게 위치시킬 수 있다.

Figure 10. 경막외강조영술(epidurography)에서 환자의 통증호소 부위로 조영제의 충만 결손(filling defect)이 관찰된다.

6. 카테터를 Tuohy needle을 통해 삽입한 후 충만결손 조영영상 부위에 정확하게 카테터를 거치하는 것이 가장 중요하다. 경막외강 병소에 정확하게 카테터를 거치하기 위한 2가지 방법을 소개해 보면, 첫째, 말단 부위의 카테터를 한 번 돌려 rounding knot를 만든 후 그것을 좌우로 돌려 방향전환을 시도하는 방법이 있다(Figure 11). 두 번째 방법으로는 카테터 내부에 가이드 와이어가 들어있어서 경막외강 공간에서 방향전환이 가능한 카테터시스템(navigable catheter system)이 있다(Figure 12).

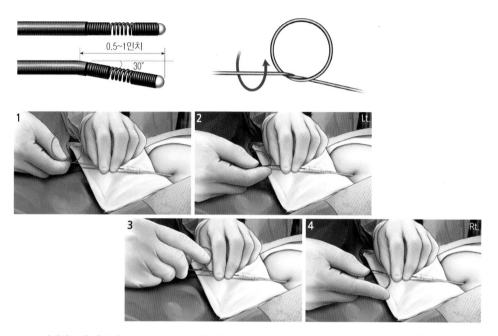

Figure 11. 카테터를 한 번 돌려 rounding knot를 만든 후 그것을 좌우로 돌려 30° 꺾인 카테터 팁의 방향전환을 시도한다.

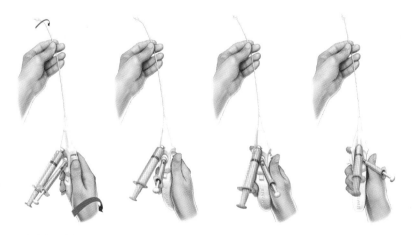

Figure 12. 카테터를 원하는 병변에 위치하게 하려면, 카테터 팁을 조금 구부린 상태로 환자의 병변 신경공 근처에서 real time으로 C-arm을 3~4초 정도 보면서 카테터 핸들의 몸통을 조금씩 회전시키며 찾아야 한다.

7. 목표지점에 카테터 끝이 도달하고 나면 두 번째 경막외강조영술을 시행하여 유착정도를 파악한다(Figure 13).

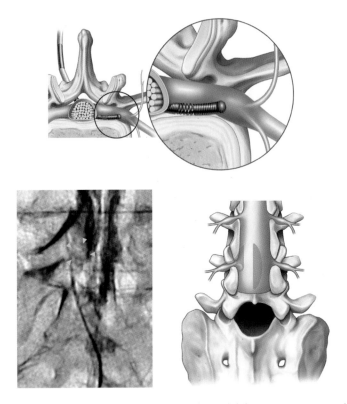

Figure 13. 경막외강조영술에서 카테터의 끝이 환자의 병변 부위인 후근신경절(dorsal root ganglion) 아래에 거치되어 있다.

8. 유착부위에서 카테터의 움직임을 이용하여 기계적 유착박리를 시도한다. 또한 10% 고장성 식염수, 1,500 U 정도의 hyaluronidase, 생리식염수 또는 조영제를 이용하여 유압적(hydrostatic adhesiolysis) 유착박리를 시도한다.

9. 경막외강조영술을 시행하여 유착박리가 이루어졌는지 확인한 다음(Figure 14), 0.25% 부피바카인 또는 0.2% 로피바카인을 주입한다. 이때 스테로이드를 함께 사용할 수 있는데 덱사메타손이 권장되며 트리암시놀론과 같은 particulate 스테로이드는 합병증 예방을 위해 금지되고 있다.

10. 약제 주입이 끝나면 필요한 경우 카테터를 환자의 몸에서 빼지 않고 부착해놓은 상태로 회복실로 옮긴다. 회복실에서 30분 이상 관찰한 후, 10% 고장성식염수 6 cc를 서서히 주입하여 유착박리 및 신경부종 감소를 도모한다.

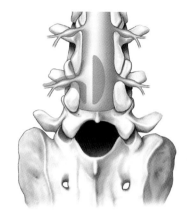

Figure 14. 경막외강조영술을 다시 시행하여 충만결손이 없어지고 유착박리가 충분히 이루어진 부분(빨간색 원)과 신경근 원위부는 조영제가 신경공을 넘어가지 않아 유착박리가 충분하지 않는 소견을 보이고 있다(노란 삼각형).

합병증(Complication)

1. 경막외강 감염, 지주막염, 뇌막염, 피하감염 및 농양
2. 경막외강 혈종
3. 신경근 손상에 의한 감각이상 및 마비
4. 시술 후 뇌압상승에 의한 두통
5. 고위 경막외강 마취, 전척수 마취, 경막하 마취
6. 경막천자
7. 혈관내 약물 주입
8. 약물에 대한 과민반응
9. 고장성 식염수나 약물로 인한 방광기능 저하

경피적 경막외강 신경성형술의 어떤 단계에서도 통증이 심하게 유발되는 경우에는 시술을 멈추고 환자 상태를 면밀히 관찰한 다음 시술을 지속할지 여부를 결정하는 것이 합병증 방지를 위해 중요하다. 경피적 경막외강 신경성형술의 합병증 발생은 극히 드물며, 시술로 인해 발생하는 합병증은 대부분 일시적이고, 자연 치유된다.

1. 시술부위의 감염 및 패혈증
2. 혈액응고 이상증 또는 항응고제 투여 환자
3. 주사 약물에 대한 알레르기
4. 뇌압상승 환자
5. 뇌혈관 질환
6. 시술 거부나 시술 동의서 결여

경피적 경막외강 신경성형술은 경막외강조영술, 유착박리술 또는 신경성형술, 약제주입이라는 3가지 필수 단계를 거친다. 시술자는 반드시 시술지에 3단계를 기록하고, 시술 영상을 남겨놓아야 한다. 현재까지 임상 결과에 따르면 경피적 경막외강 신경성형술의 시술 후 1~3개월의 단기 성적은 80~90% 정도이나 시술 후 1년의 장기 성적은 약 70~80% 정도이다. 지금까지 18개 정도의 무작위 대조군시험에서 양호한 결과를 보이고 있어 확실히 효과가 있는 시술이다.

보험 진료 지침

분류번호: 조-634
분류코드: SZ634
적용일자: 2017.12.01
급여여부: 비급여

정의 및 적응증
경추 · 요추부 디스크 팽윤, 급성 디스크탈출증, 척추관협착증 등의 수술전 통증관리로서 경막외강에 약물을 투여하여 신경다발을 압박하는 부위의 염증을 가라앉히고 염증유발 물질을 차단하여 통증을 감소시키기 위함. 또한, '수술후 통증증후군'에서 통증 유발 부위에 고농도의 식염수를 포함한 약물을 주입하여 유착된 반흔이 떨어지면서 신경 압박을 풀어주어 통증을 감소시키기 위함.

공개심의사례
1. 경피적 경막외강 신경성형술에 요양 급여로 청구된 항생제는 수술전 예방적 항생제 투여가 감염을 줄이는데 효과적이라는 점을 고려하여, 비경구투여 1회 포함 경구 투약 항생제는 3일 이내에서 인정키로 함.
2. 경피적 경막외강 신경성형술을 위한 입원여부는 환자의 상태에 따라 사례별로 판단해야 하나, 동 시술이 국소마취하에 경피적으로 실시하는 시술임을 감안할 때, 외래에서 시술하는 것이 타당하다고 판단됨.

REFERENCES

1. Ji GY, Lee J, Lee SW, Cho BY, Ha DW, Park YM, Shin DA. Safety and Effectiveness of Transforaminal Epiduroscopic Laser Ablation in Single Level Disc Disease: A Case-Control Study. Pain Physician. 2018 Nov;21(6):E643-E650. PubMed PMID: 30508995

2. Park SH, Ji GY, Cho PG, Shin DA, Yoon YS, Kim KN, Oh CH. Clinical Significance of Epidurography Contrast Patterns after Adhesiolysis during Lumbar Percutaneous Epidural Neuroplasty. Pain Res Manag. 2018 Apr 1;2018:6268045. doi: 10.1155/2018/6268045. PubMed PMID: 29808106

3. Ji GY, Oh CH, Moon B, Choi SH, Shin DA, Yoon YS, Kim KN. Efficacy of percutaneous epidural neuroplasty does not correlate with dural sac cross-sectional area in single level disc disease. Yonsei Med J. 2015 May;56(3):691-7. doi: 10.3349/ymj.2015.56.3.691. PubMed PMID: 25837174; PubMed Cent ra l PMCID: PMC4397438.

4. Choi SS, Joo EY, Hwang BS, Lee JH, Lee G, Suh JH, Leem JG, Shin JW. A novelballoon-inflatable catheter for percutaneous epidural adhesiolysis and decompression. Korean J Pain. 2014 Apr;27(2):178-85. doi: 10.3344/kjp.2014.27.2.178. Epub 2014 Mar 28. PubMed PMID: 24748948; PubMed Cent ra l PMCID: PMC3990828.

5. Manchikanti L, Helm S 2nd, Pampati V, Racz GB. Cost Utility Analysis of Percutaneous Adhesiolysis in Managing Pain of Postlumbar Surgery Syndrome and Lumbar Central Spinal Stenosis. Pain Pract. 2014 Mar 26. doi: 10.1111/papr.12195.[Epub ahead of print] PubMed PMID: 24666747.

6. Manchikanti L, Helm Ii S, Pampati V, Racz GB. Percutaneous adhesiolysis procedures in the medicare population: analysis of utilization and growth patterns from 2000 to 2011. Pain Physician. 2014 Mar-Apr;17(2):E129-39. Review. PubMed PMID: 24658484.

7. Lee F, Jamison DE, Hurley RW, Cohen SP. Epidural lysis of adhesions. Korean J Pain. 2014 Jan;27(1):3-15. doi: 10.3344/kjp.2014.27.1.3. Epub 2013 Dec 31.Review. PubMed PMID: 24478895; PubMed Central PMCID: PMC3903797.

8. Jo DH, Yang HJ, Kim JJ. Approach for epiduroscopic laser neural decompression in case of the sacral canal stenosis. Korean J Pain. 2013 Oct;26(4):392-5. doi:10.3344/kjp.2013.26.4.392. Epub 2013 Oct 2. PubMed PMID: 24156007; PubMed Cent ralPMCID: PMC3800713.

9. Choi E, Nahm FS, Lee PB. Evaluation of prognostic predictors of percutaneous adhesiolysis using a Racz catheter for post lumbar surgery syndrome or spinalstenosis. Pain Physician. 2013 Sep-Oct;16(5):E531-6. PubMed PMID: 24077203.

10. Park CH, Lee SH, Lee SC. Preliminary results of the clinical effectiveness of percutaneous adhesiolysis using a Racz catheter in the management of chronic pain due to cervical central stenosis. Pain Physician. 2013 Jul-Aug;16(4):353-8. PubMed PMID: 23877451.

11. Lee JH, Lee SH. Clinical effectiveness of percutaneous adhesiolysis and predictive factors of treatment efficacy in patients with lumbosacral spinal stenosis. Pain Med. 2013 Oct;14(10):1497-504. doi: 10.1111/pme.12180. Epub 2013 Jun 26. PubMed PMID: 23802996.

PART **4**

초음파를 이용한 척추치료

초음파를 이용한 척추치료

Ultrasound guided spinal interventions

정재현, 한동석

초음파 검사의 개론

초음파 검사(ultrasound scan)의 원리는 피에르 퀴리(Pierre Curie)가 1880년경 발견한 압전 효과(piezoelectric effect)에 그 기초를 둔다. 초음파 검사의 원리를 간단히 정리하면, 일정한 전기신호를 초음파 탐촉자(probe)에 가하면 초음파(ultrasound wave)가 발생되고, 인체 내부의 목표점에서 반향되어 돌아온 초음파 신호를 초음파 탐촉자가 다시 전기적 신호로 바꾸어 이를 영상으로 구현하는 것이다.

초음파는 개발 초기에는 주로 군사적 목적으로 많이 이용되었으나, 많은 발전을 거치며 활용영역이 확장되어 1950년 경에 의료 분야에 적용되기 시작하였고, 주로 내과, 산부인과 등의 영역에서 매우 유용한 진단도구로 자리잡았다. 1990년을 전후하여 근골격계 질환의 진단과 치료에 초음파를 이용하는 많은 연구들이 발표되기 시작하였으며, 최근 20여 년간 영상과학 기술의 발달에 힘입어 근골격계 초음파 검사는 비약적으로 성장하게 되었다. 최근, 근골격계 초음파는 관절과 연부조직의 진단에 MRI 검사에 버금가는 해상도와 유용성으로 적극 활용되는 추세이다.

통증을 다양한 방법으로 진단하고 치료하는 신경외과 의사는 기본적으로 모든 말초관절(peripheral joint)과 말초신경(peripheral nerve)의 초음파 검사에 익숙해져야 하겠지만, 이 장에서는 주로 초음파를 이용한 척추의 중재적 시술(spinal intervention)에 대해 기술하고자 한다.

1. 척추 초음파의 특징

인체의 다른 부분들과는 달리 척추의 독특한 구조로 인하여, 척추 질환의 초음파 진단은 몇 가지 물리적 제한을 가진다.

우선, 초음파는 물리적 특성으로 인하여 뼈(bone)와 같은 단단한 구조물(hard structure)을 투과(penetration)하지 못하고 반향(reflection)되어 음향 음영(acoustic shadow)을 형성하기 때문에, 뼈

뒤의 구조물들을 초음파로 관찰할 수 없다. 척추의 주요 병변 부위인 추간판(intervertebral disc)이나 척수(spinal cord), 황색인대(ligamentum flavum) 등은 골격 구조에 의해 둘러싸여 있기 때문에 초음파를 이용하여 정확히 구분하여 관찰하기 힘들다.

또 다른 문제로, 초음파는 여러 구조물들을 통과하면서 산란(scattering), 굴절(refraction), 흡수(absorption)되면서 에너지의 감쇠(attenuation)가 발생하기 때문에, 깊이 있는 구조물을 관찰할 때는 높은 해상도를 기대하기 어렵다(Figure 1). 이 때문에 비만인 환자나, 요추와 같이 비교적 깊은 구조물을 초음파로 관찰할 때는 해상도가 떨어져서 좋은 화질의 영상을 얻기 어렵고, 이와 더불어 척추의 불규칙한 모양도 초음파를 이용한 진단을 어렵게 하는 요인으로 작용한다.

이와 같은 제한에도 불구하고, 초음파는 특징적인 척추 골격의 표면을 관찰하여 치료의 목표점을 확인하거나, 말초신경을 직접 관찰할 수 있다는 장점 때문에 척추의 중재적 시술에서 매우 훌륭한 유도자(guidance) 역할을 담당할 수 있다.

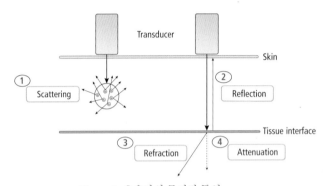

Figure 1. 초음파의 물리적 특성
① 산란(Scattering), ② 반사(Reflection), ③ 굴절(Refraction), ④ 감쇠(Attenuation)

2. 초음파 유도하 주사(ultrasound guided injection)의 장점과 단점

초음파를 이용하여 척추의 중재적 시술을 시행할 때, 앞에 기술된 초음파의 몇 가지 제한점 이외에도 조영제(contrast media)를 사용할 수 없고, 관찰하는 대상의 전체적인 구조를 한눈에 파악하기 어렵다는 단점이 있다. 하지만, 방사선 조사(radiation)의 위험이 없고, 혈관(vessel)이나 신경(nerve)과 같은 중요한 구조물들을 직접 관찰하면서 중재적 시술을 시행할 수 있다는 장점이 있으며, 일단 익숙해지면 접근과 사용이 매우 용이하기 때문에 점차 그 사용이 증가되고 있다.

3. 초음파 탐촉자의 선택

관찰하려는 대상의 모양과 깊이, 초음파 탐촉자의 특성 등을 고려하여 적절한 탐촉자를 선택해야 한다. 초음파 검사의 목적과 검사부위에 따라 다양한 종류의 초음파 탐촉자가 있지만, 근골격계 초음파 검사에서는 일반적으로 두 가지의 종류의 탐촉자를 흔히 사용한다.

편평한 접촉면을 가지는 고주파수(high frequency)의 직선형 탐촉자(linear probe)는 높은 해상도(resolution)를 보이는 반면, 투과성(penetration)이 떨어져서 비교적 얕은 깊이의 구조물을 관찰하는데 이용하며, 둥근 접촉면을 가지는 저주파수(low frequency)의 곡선형 탐촉자(curved probe)는 해상도는 떨어지지만 투과성이 좋아서 이상근이나 좌골신경과 같이 깊이 위치한 구조물을 관찰하기에 용이하다(Figure 2).

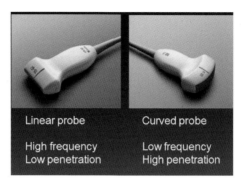

Figure 2. 직선형 탐촉자(linear probe)와 곡선형 탐촉자(curved probe)

이러한 특성을 고려하여, 일반적으로 10~15 ㎒의 고주파수 직선형 탐촉자는 깊이가 3 ㎝ 이내의 구조물을 관찰할 때 주로 이용하고, 5 ㎒ 이하의 저주파수 곡선형 탐촉자는 요추나 둔부와 같은 깊은 구조물을 관찰할 때 이용한다.

4. 초음파 탐촉자의 조작

1) 주사를 시행하기 전에 대상을 가장 정확하게 관찰할 수 있는 탐촉자의 위치를 찾아야 한다. 이때 바늘의 자입점(puncture point)과 진입 경로를 고려하여 혈관이나 신경 등 중요한 구조물의 손상을 피할 수 있는 위치가 선정되어야 한다.

2) 대상을 정확히 관찰하기 위하여, 탐촉자의 표면이 관찰하려는 대상에 직각으로 위치(perpendicular scan)하도록 탐촉자의 위치를 조작하는 과정이 필요한데, 이때 탐촉자를 적절한 위치와 방향으로 위치시키기 위하여 정렬(alignment), 기울임(tilting), 회전(rotation), 경사(angulation) 등의 과정을 통하여 가장 좋은 영상을 얻을 수 있도록 노력해야 한다(Figure 3).

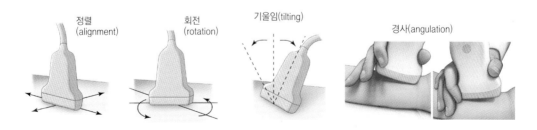

Figure 3. 초음파 탐촉자의 조작(manipulation of probe)

또한, 탐촉자로 관찰하고자 하는 구조물의 피부를 누르는 압박(pressure)을 시행할 수 있는데, 이를 이용하여 동맥과 정맥을 구별하거나, 액체의 균질성을 감별할 수 있고, 탐촉자를 관찰 부위에 가까이 위치시킬 수 있으며, 압통의 유무를 확인하거나, 주사 시 주요 구조물을 시술 주사침(needle)의 궤도(path)로부터 밀어내기 위한 목적으로도 활용할 수 있다.

3) 초음파 유도하 주사를 시행하기 위하여 한 손으로 탐촉자를 고정하고, 다른 손으로 주사기를 잡은 상태에서 주사를 시행하는데, 이때 탐촉자를 잡은 손은 환자의 피부와 밀착시켜서 미끄러지지 않도록 탐촉자를 안정적으로 고정시키되, 피부에 너무 강한 압박이 가해지지 않도록 주의한다(Figure 4).

Figure 4. 탐촉자를 피부에 밀착시키는 방법

5. 탐촉자와 바늘의 위치 관계

1) 초음파 유도하 주사를 시행할 때 바늘의 방향을 탐촉자의 긴 길이 방향과 일치시키는 방법을 평면 내 주사법(In-plane technique)이라 하고, 바늘의 방향과 탐촉자의 긴 길이 방향을 직각으로 위치시키는 방법을 평면 외 주사법(Out-of-plane technique)이라고 한다(Figure 5).

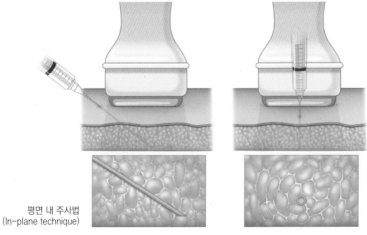

평면 내 주사법
(In-plane technique)

평면 외 주사법
(Out-of-plane technique)

Figure 5. 탐촉자 방향에 따른 주사법

2) 평면 내 주사법은 바늘이 목표점까지 도달하는 경로의 전장을 관찰할 수 있다는 장점이 있으나, 바늘이 휘어진 상태에서 진입되거나 그 방향이 탐촉자의 방향과 정확히 일치하지 않을 경우, 화면에 보이는 바늘의 끝부분(needle tip)보다 실제 바늘의 끝은 더 깊은 곳에 위치할 수 있다는 점에 주의하여야 한다.

3) 평면 외 주사법은 탐촉자로 목표점을 관찰하는 동안 바늘이 진입하면서 탐촉자의 하방에 다다르면 화면에 바늘의 끝이 갑자기 나타나게 되는데, 경로의 전장을 관찰할 수는 없지만 바늘의 진입경로가 짧고 좁은 공간에서도 유용하게 이용할 수 있다.

4) 일반적으로 평면 내 주사법에서는 바늘과 탐촉자의 표면이 평행에 가까울수록 화면에서 바늘을 관찰하기에 용이하며, 평면 외 주사법에서는 바늘과 탐촉자의 표면이 이루는 각도가 클수록 관찰이 용이하다.

6. 초음파 유도하 주사 시의 주의사항

1) 주사를 시행하기 전 환자는 편안하고 안정된 상태로 유지되어야 한다. 주사부위의 모양과 특성 때문에 앉은 자세로 주사를 시행할 수 밖에 없는 경우도 있지만, 주사를 시행하는 동안 환자의 움직임을 줄이고 환자의 상태를 쉽게 관찰하기 위하여 가급적 환자가 눕거나 엎드린 자세에서 주사를 시행하도록 한다.

2) 주사를 시행하는 동안 시술자는 주사부위와 탐촉자, 모니터에 주로 집중하여야 하기 때문에, 시술을 도와주면서 환자의 상태를 관찰할 수 있는 조력자가 함께 있어야 한다.

3) 주사를 시행하기 전에 전체적인 척추의 구조를 파악하여야 하며, 주사부위에 대한 사전검사(pre-scanning)를 시행하여 탐촉자의 적절한 위치, 바늘의 자입점, 주사의 목표점, 주사바늘 진입 경로상에 위치한 여러 구조물의 상관관계를 충분히 고려하여야 한다.

4) 시술의 용이성과 모니터의 방향, 탐촉자의 위치 등을 고려하여 주사를 시행하기에 적절하도록 시술자의 위치를 선정한다.

5) 주사를 시행할 때는 항상 감염에 주의하여야 한다. 이를 위해서 주사를 시행하는 피부는 무균상태(aseptic condition)로 준비되어야 하며, 탐촉자 또한 무균 상태로 준비되어야 한다. 이를 위하여 탐촉자의 표면에 젤리(jelly)를 바르고 소독된 비닐이나 고무 덮개(rubber cover)로 덮은 후, 베타딘(betadine) 등의 소독액을 도포하여 윤활제처럼 이용할 수 있다(Figure 6).

Figure 6. 무균상태의 탐촉자를 만드는 방법

6) 최근에는 무균 젤리를 사용하기도 한다.

7) 바늘의 자입점은 탐촉자의 끝부분으로부터 1 ㎝ 이상의 거리를 유지하고, 주사가 시행되는 동안 바늘과 탐촉자가 접촉하지 않도록 주의한다.

8) 척추 주위에 시행하는 시술은 주사의 목표점이나 주사바늘의 진입 경로상에 혈관이나 신경 등의 중요한 구조물이 주행하는 경우가 많으며, 또한 주사바늘로 신경 자체에 손상을 줄 가능성이 매우 높기 때문에 주사바늘을 진입시키는 동안에는 반드시 초음파 화면에서 주사바늘 끝을 확신할 수 있어야 한다. 바늘 끝을 확신할 수 없는 경우에는 절대 바늘을 더 이상 진입시켜서는 안 된다.

9) 바늘의 진입 경로에 혈관으로 의심되는 구조가 있거나 동맥의 맥동(arterial pulsation)이 관찰된다면, 도플러 검사(doppler scan)를 시행하여 혈관의 유무를 확인할 수 있다.

10) 주사 시 바늘이 화면에서 잘 보이지 않을 경우에는, 바늘을 미세하게 움직여 보거나 미량의 약물을 주입하여 조직의 움직임을 유도하면 바늘 끝의 위치를 파악하는 데 도움이 될 수 있다.

11) 주사 도중 바늘이 환자로부터 완전히 제거될 때까지 탐촉자로 주사부위를 관찰하여야 하며, 환자의 의식 변화나 생체 징후의 이상이 감지되면 즉각 바늘을 제거하여 시술을 중단하고 환자의 상태를 살펴야 한다.

초음파 유도하 척추시술

이론적으로는 골격 구조에 의해 가려진 부위에 주사바늘을 진입시키는 술기가 아니라면, 척추 주위에 시행하는 대부분의 술기에 초음파를 적용할 수 있다. 따라서 매우 다양한 술기에 초음파를 이용할 수 있고, 또한 시술자에 따라 그 방법이 달라질 수도 있겠지만, 이 장에서는 경추와 요추에서 흔히 시행되는 몇 가지 초음파 유도하 주사방법에 대하여 다루고자 한다.

앞서 언급한 바와 같은 초음파의 특성 때문에, 척추궁간 접근법(interlaminar approach)을 통한 경막외신경차단술(epidural block)과 같은 몇 가지 시술에 이용되는 초음파의 유용성과 안정성에 대해서는 아직 논란의 여지가 존재한다. 하지만, 지속적인 연구, 기술 개발 및 시도가 이루어지면서 초음파의 적용 범위는 조금씩 확장되고 있다.

1. 경추의 초음파 유도하 치료

1) 경추의 초음파 해부학

초음파 검사는 다른 영상의학적 검사와는 달리 탐촉자가 위치한 단면의 제한된 부위의 영상만을 보여주기 때문에 전체적인 구조를 한 번에 파악하기 어려운 특징이 있다. 이 때문에, 초음파 검사를 위해서는 관찰하려는 대상의 전체적인 구조와 위치 관계에 익숙해야 한다. 척추에 초음파 검사를 시행할 때는 관찰하려는 척추의 level을 먼저 확인해야 하는데, 경추에서는 척추의 특징적인 모양을 이용하여 level을 추정할 수 있다.

경추는 크게 전형적인 모양을 보이는 전형적 경추골(typical vertebrae, [C3~C6])과 특징적인 모양을 보이는 비전형적 경추골(atypical vertebrae, [C1, C2, C7])로 나누어 볼 수 있다.

전형적 경추골은 아래관절돌기(inferior articular process)의 직상방에 위관절돌기(superior articular process)가 위치하지만, 제2경추골(C2 vertebra)에서는 제1경추골(C1 vertebra)과 관절(articulation)을 이루는 관절면(facet) 부위가 전방으로 치우쳐 있기 때문에, 제2경추골 아래관절돌기의 직상방에는 척추후궁(posterior arch)의 추궁부위(laminar portion)가 위치하게 된다. 따라서, 탐촉자를 경추의 측면에 위치시켜서 관절기둥(articular pillar)이 연속되어 있는 모양을 관찰한 후, 이를 따라 탐촉자를 머리쪽으로 유양돌기(mastoid process)를 향하여 이동시키면, 관절기둥이 연속되지 않고 급한 경사를 이루면서 푹 꺼지는 부위를 만나게 되는데, 그 깊은 곳에서 척추동맥(vertebral artery)의 맥동이 관찰된다. 이 부위가 제2경추의 추궁부위에 해당한다. 제2경추 추궁으로부터 아래로 이어지는 후관절(facet joint)은 제2-3경추 간 후관절이며, 다시 관절기둥을 따라서 탐촉자를 아래로 이동시키면 연속되는 후관절의 level을 확인할 수 있다. 초음파 상에서 경추의 level를 파악하기 위하여, 제7경추골(C7 vertebra)의 독특한 모양을 이해해야 한다.

전형적 경추골의 가로돌기(transverse process)는 앞결절(anterior tubercle)과 뒤결절(posterior tubercle)로 구성되어 있는데, 추간공(intervertebral foramen)을 빠져 나온 경추신경(cervical spinal nerve)은 앞결절과 뒤결절의 사이로 주행한다. 전형적 경추골과는 달리, 제7경추의 가로돌기는 뒤결절이 좀 더 도드라지게 형성되어 있는 반면, 앞결절은 크기가 매우 작거나 형성되어 있지 않다. 따라서, 가로돌기에서 앞결절이 관찰되지 않는다면, 이 위치가 제7경추 level에 해당한다고 판단할 수 있다. 이를 이용하여 제7경추의 위치를 확인한 후 탐촉자를 머리 방향으로 이동시키면서 경추의 level을 확인할 수 있다.

경추의 초음파 소견을 전경부(anterior neck), 측경부(lateral neck), 후경부(posterior neck)의 순서로 설명하면 다음과 같다.

(1) 전경부(anterior neck)의 초음파 검사

전경부의 정중선(mid-line)에 종방향(longitudinal scan)으로 탐촉자를 위치시키면, 위로부터 설골(hyoid bone), 갑상연골(thyroid cartilage), 윤상연골(cricoid cartilage), 기관연골고리(tracheal ring)가 순서대로 배열되어 있는 것을 관찰할 수 있다(Figure 7).

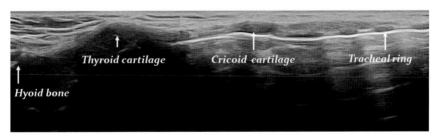

Figure 7. 전경부의 종방향 초음파 영상(longitudinal scan of anterior neck)

탐촉자를 조금 더 외측으로 이동시키면서 약간 압박(compression)하면, 척추체(vertebral body)의 전면(anterior aspect)을 관찰할 수 있다. 척추체의 골피질(bony cortex) 사이에서 관찰되는 구조물은 추간판(intervertebral disc)의 앞쪽인데, 추간판의 퇴행성 변화(degenerative change)가 있다면, 간혹 이 부위에서 골극(bony spur)이나 추간판 간극(intervertebral disc space)의 협소 (narrowing), 추간판의 전방 돌출(anterior protrusion) 등을 관찰할 수도 있다(Figure 8).

종방향 검사에서 전체적인 구조를 파악한 후, C6 level에 위치하는 윤상연골 위에서 탐촉자를 90° 돌려서 횡방향 검사(transverse scan)를 시행한다.

둥근 모양의 윤상연골 하방으로 기관(trachea)과 식도(esophagus)를 관찰할 수 있고, 그 외측으로는 갑상샘(thyroid gland)의 일부를 관찰할 수 있다. 식도의 아래에는 척추체나 추간판이 위치하는데, 탐촉자를 조금 더 외측으로 이동시켜서 조정하면, 척추체의 일부와 가로돌기를 관찰할 수 있다. 가로돌기의 바로 앞쪽에는 경장근(longus colli muscle)이 위치하고, 그 위쪽으로 경동맥초(carotid sheath) 내에 총경동맥(common carotid artery)과 경정맥(jugular vein)이 위치하는데, 탐촉자로 압박시켜 보면, 경정맥은 압박(collapse)되어 관찰되지 않기 때문에 쉽게 구분할

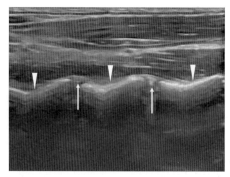

Figure 8. 경추부 척추체의 종방향 초음파 영상(longitudinal scanning of vertebral column)
↑: 추간판, ▽: 척추체

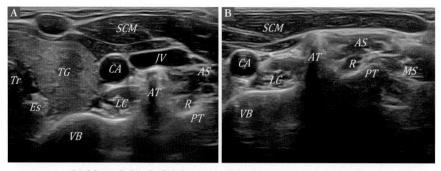

Figure 9. 제6경추부 전경부의 횡방향 초음파 영상(transverse scanning of anterior neck)
B는 A 보다 더 외측에서 얻은 영상임
AT: anterior tubercle of transverse process, AS: anterior scalene muscle, CA: carotid artery, Es: esophagus, JV: jugular vein,
LC: longus colli muscle, MS: middle scalene muscle, PT: posterior tubercle of transverse process,
R: anterior ramus of spinal nerve, SCM: sternocleidomastoid muscle, TG: thyroid gland, Tr: trachea, VB: vertebral body

수 있다. 경장근을 감싸는 구조물은 경근막(cervical fascia)의 척주앞층(prevertebral layer)이다. 교감신경절(sympathetic ganglion)인 성상신경절(stellate ganglion)은 대개 제7경추 횡돌기 부근의 척주앞층 상에 위치하는데, 제7경추 부근에서 주사를 시행할 때 발생할 수 있는 추골동맥이나 쇄골하동맥 등의 손상을 피하기 위하여, 일반적으로 성상신경절차단술(stellate ganglion block)은 제6경추 횡돌기 레벨의 척주앞층의 하부(sub-prevertebral fascia)를 목표로 주사를 시행하여 제7경추 level까지 퍼져나가도록 한다. 그 위쪽으로 흉쇄유돌근(sternocleidomastoid muscle)을 가장 얕은(superficial) 위치에서 관찰할 수 있다(Figure 9-A, B).

가로돌기의 골피질을 따라서 탐촉자를 조금 더 외측으로 이동시켜 보면, 앞결절로 이어짐을 확인할 수 있고, 그 뒤쪽에서 뒤결절이 골융기(bony prominence)로 관찰된다. 앞결절과 뒤결절 사이로 제6경추신경의 앞가지(anterior ramus)가 빠져 나오는데(Figure 9-A, B), 둥근 모양과 저에코(hypoechoic)의 제6경추신경 앞가지를 초음파로 추적(tracing)하여 따라가면 전사각근(anterior scalene muscle)과 중사각근(middle scalene muscle) 사이로 주행하여 상완신경총(brachial plexus)을 구성함을 확인할 수 있다(Figure 10).

제6경추 level의 가로돌기를 초음파상에서 확인한 후, 탐촉자를 미단부(caudal) 방향으로 평행하게 이동시키면, 제7경추의 가로돌기 위에 탐촉자를 위치시킬 수 있다. 앞에서 설명한 바와 같이 제7경추의 가로돌기에는 앞결절이 없기 때문에 도플러 검사를 시행하면, 뒤결절로만 구성된 제7경추의 가로돌기 앞쪽에서 척추동맥의 맥동을 관찰할 수 있다(Figure 11).

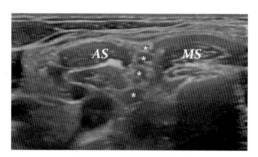

Figure 10. 상완신경총(＊)

AS: anterior scalene muscle, MS: middle scalene muscle

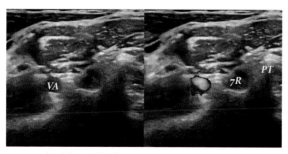

Figure 11. 제7경추부 전측방(anterolateral) 부위 횡단면 초음파 영상

VA: vertebral artery, 7R: C7 spinal nerve, PT: posterior tubercle of C7 vertebra

(2) 측경부(lateral neck)의 초음파 검사

측와위(lateral decubitus position)에서는 하악각(mandibular angle)과 유양돌기(mastoid process)를 촉지할 수 있다. 하악각과 유양돌기의 끝(tip)을 이은 선의 중간 부위에서는 제2경추 가로돌기의 끝을 만질 수 있고, 여기로부터 측경부의 장축(long axis)을 따라 관절기둥의 측면(lateral aspect)을 촉지할 수 있다. 이곳에 탐촉자를 종방향으로 위치시키면, 관절기둥의 옆면을 관찰할 수 있고, 후관절의 외측면과 관절 틈새(joint slit)가 관찰되며, 후관절의 위아래로 관절기둥의 잘록한 허리(waist) 부위를 관찰할 수 있다. 즉, 물결 모양의 관절기둥에서 위로 돌출된 부위는 후관절에 해당하며, 움푹 들어간 곳은 허리 부위로, 척추신경 뒤가지(dorsal ramus)의 안쪽가지(medial branch)가 이 부위를 지나므로 안쪽가지 차단술(medial branch block, MBB)의 목표점(target point)이 된다(Figure 12).

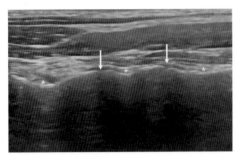

Figure 12. 경추 측면의 종단면 초음파 영상(longitudinal scanning)
＊: target points of medial branch block, ↓: slits of facet joints

앞서 설명한 바와 같이, 제2경추 추궁의 위치를 그 비전형적인 모양으로 확인할 수 있다. 제2경추 추궁으로부터 이어지는 후관절은, 바로 제2-3경추 간 후관절이며, 그 인근에 제3후두신경(third occipital nerve, TON)이 지나며 이 부위가 제3후두신경차단술(third occipital nerve block, TONB)의 목표점이 된다(Figure 13).

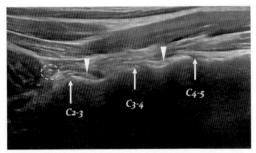

Figure 13. 상부 경추 측면의 종단면 초음파 영상(longitudinal scanning)
○: third occipital nerve, ▼: medial branch of C3 and C4 dorsal ramus, ↑: slit of C2-3, C3-4, C4-5 facet joints

목의 옆면에서 탐촉자를 90°로 돌려서 횡방향 검사를 시행하면, 가로돌기의 뒤결절 뒤쪽으로 둥근 모양의 관절기둥을 관찰할 수 있으며, 여기로부터 극돌기(spinous process)로 이어지는 추궁을 관찰할 수 있다(Figure 14-A, B, C).

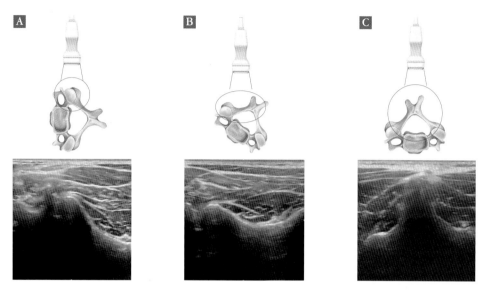

Figure 14. 탐촉자의 위치에 따른 경추의 측면 및 후면의 횡단면 초음파 영상

(3) 후경부(posterior neck)의 초음파 검사

다음으로 목의 후측(posterior aspect)에서 초음파 검사를 시행하기 위하여 환자에게 엎드린 자세(prone position)를 취하게 한다. 목의 앞쪽에서와 마찬가지로 촉진으로 위치를 파악하는 것이 도움이 된다. 먼저 환자의 뒷머리에서 가장 두드러진 외후두융기(external occipital protuberance, EOP)를 확인한다. 이로부터 후두(occiput)의 양 옆으로 이어지는 골각(bony angle)을 따라 촉진하면 유양돌기까지 이어지는 것을 알 수 있다. 마른 체형의 환자에서는 외후두융기로부터 후경부의 정중선을 따라 미단부 방향으로 촉진하여 보면, 움푹 들어가는 부위를 지나 조금 더 아래쪽에서 제2경추 극돌기의 일부를 만질 수 있다. 이로부터 아래로 연속하여 이어지는 극돌기를 확인할 수 있다. 하방에서 가장 두드러지게 만져지는 골융기는 대개 제7경추의 극돌기이지만, 초음파 상에서는 대개 제5경추와 제6경추의 극돌기 높이가 가장 크게 차이 나는 것이 일반적이다.

목의 후측에서 이와 같이 연속된 극돌기를 확인한 후, 종방향으로 탐촉자를 위치시키면, 극돌기의 끝이 나란히 배열 되어 있는 것을 관찰할 수 있다(Figure 15). 음향 음영으로 인하여 극돌기 하방의 구조물을 명확히 확인할 수는 없지만, 극돌기의 끝으로부터 형성되는 피질 음영(cortical shadow)은 분명하게 확인할 수 있다. 극돌기는 그 폭이 좁고 뾰족하기 때문에, 정확한 관찰을 위해서는 탐촉자를 정확히 위치시키고자 주의를 기울여야 한다. 제7경추의 극돌기가 다른 극돌기에 비하여 더 얕은 위치에서 두드러지게 관찰된다. 탐촉자를 정중선의 극돌기 위치로부터 약간 외측으로 이동시키면, 기왓장을 포개 놓은 듯하게 중첩되어 비스듬히 배열된 척추 후궁의 추궁을 관찰할 수 있다. 일반적으로 경추에서는 척추궁간 간격(interlaminar space)이 좁기 때문에, 그 사이의 공간은 대부분 관찰되지 않는다(Figure 16).

탐촉자를 조금 더 외측으로 이동시키면, 관절기둥의 후측을 관찰할 수 있다. 여기에서 위관절돌기와 아래관절돌기 사이의 후관절과 관절 틈새를 초음파를 통해 관찰할 수 있다(Figure 17). 초음파의 탐촉자를 외측으로 이동시킬 때, 목의 모양이 전체적으로 원통형임을 기억해야 한다. 탐촉자를 외측으로 이동시킬 때 평면상에서 수평으로 이동시키는 것이 아니라, 원통형인 목의 중심 방향을 향하여 탐촉자를 기울여가면서 이동시켜야 경추에 대한 수직 방향 검사(perpendicular scanning)가 가능하다. 따라서, 탐촉자를 더 외측으로 이동시키면서 기울이면, 목의 옆면에서 관절기둥의 측면을 관찰할 수 있는데, 측와위 자세를 취하면 좀 더 편하게 관찰할 수 있다.

관절기둥을 화면의 중앙에 두고, 탐촉자를 두측(cranial)과 미단부 방향으로 이동시켜 보면, 골피질의 높이가 높아지거나 낮아지는 것을 확인할 수 있는데, 높이가 높아지는 부위가 후관절의 위치에 해당되며, 이곳에서 관절의 틈새를 관찰할 수 있다. 골피질의 높이가 낮아지는 부위는 관절기둥의 허리 부위에 해당하며, 전술하였듯이 안쪽가지 차단술의 목표점에 해당한다.

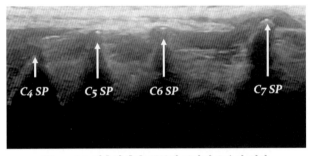

Figure 15. 경추의 후측 극돌기 종단면 초음파 영상

SP: spinous process

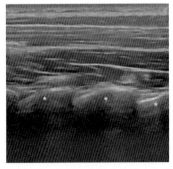

Figure 16. 경추의 후측 추궁 종단면 초음파 영상

＊: lamina

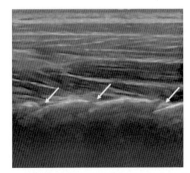

Figure 17. 경추의 후측 후관절 종단면 초음파 영상

╱: slit of facet joints

2) 경추의 신경근주위 주사(cervical peri-radicular injection)

(1) 환자는 앙와위(supine position)에서 검사하는 쪽의 어깨 아래에 베개를 끼워서 약간 비스듬한 자세(semi-oblique posture)를 취하도록 하고 고개는 반대쪽으로 돌린다(Figure 18).

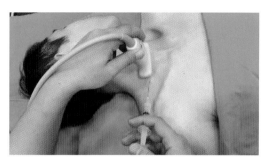

Figure 18. 경추의 신경근주위 주사를 위한 환자의 자세와 주사방향

(2) 전경부의 갑상연골 하방에서 대략적인 제6경추체 위치에 해당하는 윤상연골에 고주파수 직선형 초음파 탐촉자를 횡방향으로 위치시키고, 옆으로 이동하여 제6경추체를 확인한다 (Figure 9-A, B).

(3) 탐촉자를 미측방향으로 이동시켜, 앞결절이 없는 제7경추의 가로돌기와 그 상방을 지나는 제7경추신경근을 확인한다(Figure 11).

(4) 이로부터 탐촉자를 두측 방향으로 올리면서 제6경추 가로돌기의 앞결절과 뒤결절, 제6경추신경근 등을 확인한다. 탐촉자를 두측 방향으로 더 이동시키면서 제5경추, 제4경추 위치에서 목표가 되는 신경과 뒤결절을 확인한다(Figure 9-A, B).

(5) 탐촉자를 무균상태로 준비하고, 주사부위를 소독한 후 다시 탐촉자를 위치시켜서 주사의 목표점을 확인한 후, 주사바늘의 자입점과 진입 방향을 결정한다.

(6) 2% lidocaine으로 주사부위의 피부에 국소마취를 시행한 후 평면 내 주사법으로 주사바늘을 초음파로 관찰하면서 서서히 진입시켜 뒤결절과 척추신경 사이의 공간에 위치시킨다 (Figure 19).

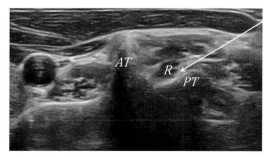

Figure 19. 경추 신경근주위 주사의 초음파 영상

AT: anterior tubercle of transverse process, PT: posterior tubercle of transverse process,
R: anterior ramus of spinal nerve, ╱: target point and direction of needle

(7) 0.5% lidocaine 3 mL와 dexamethasone 1 mL를 혼합한 용액이 신경 주위에 도넛 모양으로 저에코의 가장자리(rim)를 형성하며 퍼지도록 서서히 주입한다.

(8) 주사바늘을 제거하고, 주사부위를 가볍게 압박하여 지혈하면서 환자의 상태를 관찰한다.

3) 경추의 후관절강내 주사(cervical facet joint injection)와 안쪽가지 신경차단술(cervical medial branch block)

(1) 환자는 낮은 베개를 베고 측와위에서 고개를 약간 숙인 자세로, 반대 방향으로 고개를 약간 돌리도록 한다(Figure 20).

Figure 20. 경추의 후관절강내 주사 및 안쪽가지 신경차단술을 위한 자세와 주사방향

(2) 목의 옆 부위에서 관절기둥을 촉지하고 고주파수 직선형 탐촉자를 종방향으로 위치시킨 후 초음파 영상에서 관절기둥의 연속적인 골피질을 관찰한다. 관절기둥의 골피질은 물결 모양을 형성하는데, 볼록하게 튀어나온 부위에서 비등방성 틈(anisotropic gap)을 형성하는 후관절과 뒤가지의 안쪽가지가 지나는 움푹 들어간 부위(waist)를 관찰한다. 간혹 안쪽가지가 초음파 영상에서 작은 결절성 저에코 구조(nodular hypoechoic structure)로 직접 관찰되기도 한다(Figure 12).

(3) 탐촉자를 두측으로 올려서 제2경추의 추궁과 제2-3경추 사이의 후관절 틈새를 확인한 후, 이로부터 탐촉자를 미단부 방향으로 내리면서 각 부위의 level을 파악한다(Figure 13). 후관절강내 주사를 시행하는 경우에는 볼록하게 튀어나온 부위에 있는 후관절을, 안쪽가지 신경차단술을 시행하는 경우에는 움푹 들어간 부위(waist)를 주사의 목표점으로 결정한다.

(4) 목표점이 결정되면 탐촉자를 90°로 돌려서 횡방향으로 위치시킨다.

(5) 탐촉자를 무균상태로 준비하고, 주사부위를 소독한 후 다시 탐촉자를 위치시켜서 주사의 목표점을 확인한 후, 주사바늘의 자입점과 진입 방향을 결정한다.

(6) 2% lidocaine으로 주사부위의 피부에 국소마취를 시행한 후 평면 내 주사법으로 주사바늘을 초음파로 관찰하면서 서서히 진입시켜 목표점에 다다르게 한다.

(7) 후관절강내 주사를 위해서는 후관절 사이에 형성된 틈(gap)으로 바늘을 진입시킨 후 1%

lidocaine 0.5 mL와 dexamethasone의 혼합액을 천천히 주입한다(Figure 21).

(8) 안쪽가지 신경차단술을 시행하는 경우에는 움푹 들어간 부위에서 바늘 끝이 뼈에 닿도록 위치시키고, 1% lidocaine 1 mL를 천천히 주입한다(Figure 22).

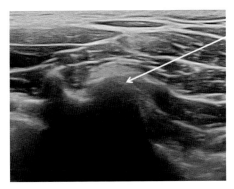 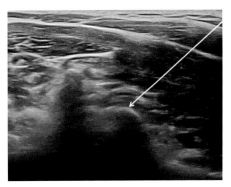

Figure 21.
경추의 후관절강내 주사의 초음파 영상

Figure 22.
경추의 안쪽가지 신경차단술의 초음파 영상

(9) 관절기둥의 주위에 근동맥(radicular artery), 심경동맥(deep cervical artery) 등이 주행하는 경우가 흔히 있으므로, 혈관손상 가능성과 혈관 내로 약물이 주입될 가능성이 있음을 유념해야 하고, 관절기둥의 바로 앞쪽에는 척추동맥과 척추신경이 위치하기 때문에 바늘을 진입시킬 때 주의하여야 한다.

(10) 주사바늘을 제거하고, 주사부위를 가볍게 압박하여 지혈하면서 환자의 상태를 관찰한다.

(11) 안쪽가지 신경차단술은 대개 3 level에 걸쳐 시행하는데, 이를 위하여 탐촉자를 두측 또는 미단측 방향으로 이동시키면서 다음 level의 waist 부위를 목표점으로 확인하고 동일한 술기를 반복한다.

4) 대후두신경차단술(greater occipital nerve block)
(1) 환자의 가슴에 베개를 넣고, 엎드린 자세(prone position)를 취한다(Figure 23).

Figure 23. 대후두신경차단술을 위한 환자의 자세와 주사방향

(2) 후두골(occipital bone)의 아래쪽에서 가장 돌출되어 있는 외후두융기를 촉지한 후 후경부의 정중선을 향하여 후두골을 촉지하며 미단부 방향으로 내려오면, 푹 꺼지는 느낌의 연부조직을 지나서 돌출되어 있는 제2경추의 극돌기를 촉지할 수 있다. 귓바퀴(auricle)의 뒤쪽 아래에서 둥그렇게 만져지는 뼈의 윤곽(bony contour)은 유양돌기인데, 유양돌기의 끝부분으로부터 약간 아래쪽 깊은 곳에는 제1경추의 가로돌기가 위치한다. 제2경추의 극돌기와 제1경추의 가로돌기 사이에는 하두사근(inferior occipital capitis muscle)이 위치하고, 대후두신경이 하두사근의 표층(superficial)으로 주행하므로, 대략적인 위치관계를 파악하도록 한다.

(3) 제1경추의 가로돌기는 촉지할 수 없으므로, 제2경추의 극돌기로부터 유양돌기의 끝 부분을 촉지하고, 이 사이에 탐촉자를 위치시키면, 깊은 곳에서 장방형(rectangle)의 하두사근을 관찰할 수 있다. 하두사근의 표층에서 반가시근(semispinalis muscle)을 관찰할 수 있고, 이 두 근육의 사이에 형성된 근막간면(interfascial plane)의 중앙 부근에서 주사의 목표점이 되는 결절 모양의 대후두신경을 확인할 수 있다(Figure 24).

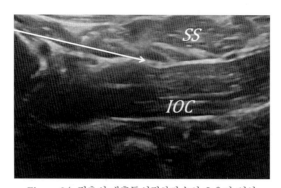

Figure 24. 경추의 대후두신경차단술의 초음파 영상

SS: semispinalis muscle, IOC: Inferior occipital capitis muscle, \: greater occipital nerve and direction of needle

(4) 탐촉자를 무균상태로 준비하고, 주사부위를 소독한 후 다시 탐촉자를 위치시켜서 주사의 목표점을 확인한 후, 주사바늘의 자입점과 진입 방향을 결정한다.

(5) 2% lidocaine으로 주사부위에 국소마취를 시행한 후 평면 내 주사법으로 주사바늘을 초음파로 관찰하면서 서서히 진입시켜 목표점에 다다르게 한다.

(6) 1% lidocaine 1~3 mL를 하두사근과 반가시근의 근막간면에 약물이 퍼져 들어가도록 천천히 주사한다.

(7) 주사바늘을 제거하고, 주사부위를 가볍게 압박하여 지혈하면서 환자의 상태를 관찰한다.

2. 요추(lumbar spine)의 초음파 유도하 치료

1) 요추의 초음파 해부학

요추에서도 경추와 마찬가지로 탐촉자를 목표의 축(axis)과 일치시키는 종방향 검사와 수직으로 위치시키는 횡방향 검사 중에서 종방향 검사를 먼저 시행하여 전체적인 위치관계나 관찰하는 척추의 level을 확인하는 것이 일반적이다.

이해를 돕기 위해 요추의 CT 영상과 초음파 영상을 비교하여 기술하였다.

(1) 요추의 종방향 초음파 검사

① 요추 극돌기에 종방향으로 탐촉자를 위치시키면, 극돌기의 끝에서 보이는 골음영(bony shadow)을 관찰할 수 있다(Figure 25). 이때, 극돌기의 하방은 음향 음영으로 인하여 구조를 명확히 구분하기 어렵지만, 극돌기의 끝에서 보이는 골음영은 분명하게 관찰된다. 요추 극돌기의 연속선상에 천추(sacrum)의 정중엉치뼈능선(median sacral crest)이 위치한다.

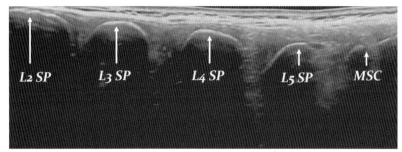

Figure 25. 요추의 중앙부 종단면 극돌기 초음파 영상

SP: spinous process, MSC: median sacral crest

② 탐촉자를 약간 외측으로 평행하게 이동시키면 척추궁간 간격을 사이에 두고 비스듬하게 배열되어 있는 추궁을 관찰할 수 있고, 종종 척추궁간 간격을 통하여 척추체의 후면(posterior margin)이 관찰되기도 한다(Figure 26).

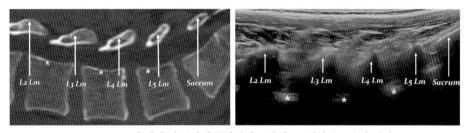

Figure 26. 요추 후측 추궁과 추궁간격의 종단면 CT 영상과 초음파 영상

Lm: laminae, ＊: posterior margin of vertebral body

③ 탐촉자를 외측으로 더 이동시키면, 척추궁간 간격은 더 이상 관찰되지 않고, 기왓장을 포개 놓은 듯하게 겹쳐져 있는 추궁의 피질 음영(cortical echo)을 관찰할 수 있다. 천추의 중간 엉치뼈능선(intermediate sacral crest)이 요추의 추궁과 연속되는 선상에 위치하는데, 이는 겹쳐진 듯 연속되어 있는 추궁의 모양과는 달리 편평한 모양으로 관찰된다. 이 위치로

부터 거꾸로 추궁의 level을 세어서 초음파상에서 요추의 level을 가늠할 수 있다(Figure 27).

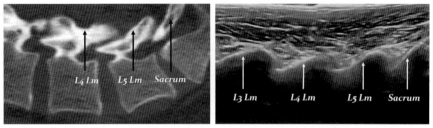

Figure 27. 요추 후측 추궁의 종단면 CT 영상과 초음파 영상

Lm: laminae

④ 탐촉자를 조금 더 외측으로 이동시켜서 후관절의 중앙부(mid-portion)에 위치시키면, 기왓
장의 모양 대신 둥근 봉우리가 봉긋하게 이어져 있는 형태를 관찰할 수 있다. 초음파 영상
에서 후관절의 틈도 관찰할 수 있다(Figure 28).

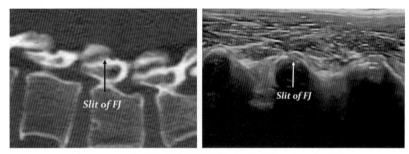

Figure 28. 요추 후측 후관절의 종단면 CT 영상과 초음파 영상

FJ: facet joint

⑤ 탐촉자를 좀 더 외측으로 이동시켜서 후관절의 가장 외측에 위치시키면, 위관절돌기가 척
추경(pedicle)으로 이행하는 부위를 관찰할 수 있다(Figure 29).

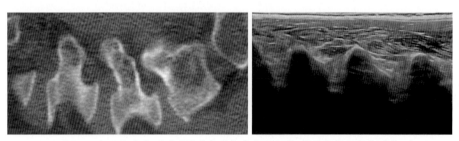

Figure 29. 요추 후측 위관절돌기와 척추경의 종단면 CT 영상과 초음파 영상

⑥ 탐촉자를 더 외측으로 이동시키면 가로돌기의 피질 음영과 그 하방의 음향 음영을 관찰할
수 있다. 가로돌기 사이로 요근(psoas muscle)이 관찰된다(Figure 30).

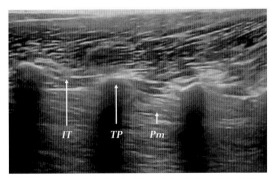

Figure 30. 요추 후측 가로돌기의 종단면 초음파 영상
IT: intertransverse ligament, TP: transverse process, Pm: psoas muscle

(2) 요추의 횡방향 초음파 검사

초음파의 탐촉자를 극돌기 부위에 위치시키면 추궁, 가로돌기, 후관절의 피질 음영을 관찰할
수 있다. 극돌기 위에 있던 탐촉자를 미단부로 기울여(caudal tilting) 극돌기와 가급적 평행하게
위치시키면 척추궁간 간격을 통하여 척추체 후면의 음영을 관찰할 수 있다(Figure 31).

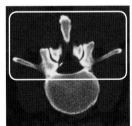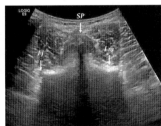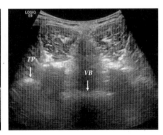

Figure 31. 요추 후측 횡단면 CT 영상과 초음파 영상
SP: spinous process, FJ: facet joint, Lm : laminae, TP: transverse process, VB: vertebral body

(3) 천추

① 초음파 탐촉자를 위뒤장골가시(posterior superior iliac spine, PSIS) 상에 위치시키면, 장골 (ilium)과 깊은 곳에 위치한 천추를 관찰할 수 있다. 둘 사이의 저에코 부분은 후천장인대 (posterior sacroiliac ligament)이고, 그 안쪽 깊은 곳에는 천장관절(sacroiliac joint)이 위치한 다(Figure 32).

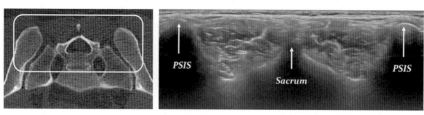

Figure 32. 천추와 위뒤장골가시의 CT 영상과 횡단면 초음파 영상

PSIS: posterior superior iliac spine

② 탐촉자를 PSIS로부터 원위부(distal)로 점차 이동시키면, 장골의 높이가 점차 낮아지다가 천추의 높이와 같아지는 곳을 만나게 되는데, 이 부위는 대략 아래뒤장골가시(posterior inferior iliac spine, PIIS)의 위치에 해당하며, 천장관절의 하극(inferior pole)이 위치하는 곳이 다. 천장관절의 틈을 관찰할 수 있다(Figure 33).

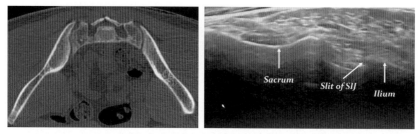

Figure 33. 천추와 천장관절의 CT 영상과 횡단면 초음파 영상

SIJ: sacroiliac joint

③ 천추의 원위부에서 천골각(ssacral cornu)을 촉지할 수 있는데, 이 부위에 탐촉자를 위치시 키면, 양쪽의 둥글게 튀어나온 천골각 사이로 천골열공(sacral hiatus)과 천미인대(sacrococ-cygeal ligament)를 관찰할 수 있다(Figure 34).

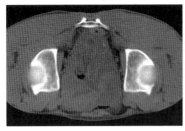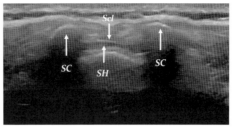

Figure 34. 천골각과 천골열공의 CT 영상과 횡단면 초음파 영상

SC: sacral cornu, Scl: sacrococcygeal ligament, SH: sacral hiatus

2) 요추의 후관절강내 주사(lumbar facet joint injection)와 안쪽가지 신경차단술(lumbar medial branch block)
(1) 환자의 양쪽 위앞장골가시(anterior superior iliac spine, ASIS)에 걸치도록 베개를 넣고, 엎드린 자세(prone position)를 취한다(Figure 35).

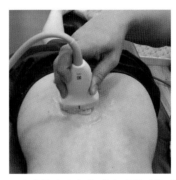

Figure 35. 요추부의 초음파 검사 및 주사를 위한 자세

(2) 아래 허리의 중앙 부위에서 요추의 극돌기를 촉지한 후 이로부터 저주파수 곡선형 탐촉자를 횡방향으로 위치시켜서 극돌기로부터 이어지는 후궁, 후관절, 가로돌기를 관찰한다.
(3) 후관절강내 주사를 시행하는 경우에는 위관절돌기와 아래관절돌기 사이에 형성된 후관절을, 안쪽가지 신경차단술을 시행하는 경우에는 가로돌기가 위관절돌기로 이어지는 부분을 주사의 목표점으로 결정한다.
(4) 탐촉자를 무균상태로 준비하고, 주사부위를 소독한 후 다시 탐촉자를 위치시켜서 주사의 목표점을 확인한 후, 주사바늘의 자입점과 진입 방향을 결정한다. 대개 주사바늘의 자입점은 극돌기로부터 외측으로 약 5~7 ㎝에서 결정되며, 외측에서 내측으로 주사바늘이 진입하게 된다(Figure 36).

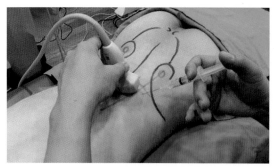

Figure 36. 요추의 후관절강내 주사 및 안쪽가지 신경차단술을 위한 바늘의 자입점과 방향

⑸ 2% lidocaine으로 주사부위의 피부에 국소마취를 시행한 후 평면 내 주사법으로 주사바늘을 초음파로 관찰하면서 서서히 진입시켜 목표점에 다다르게 한다.

⑹ 후관절강내 주사를 위해서는 후관절에 형성된 비등방성 틈으로 바늘을 진입시킨 후 1% lidocaine 1 mL와 dexamethasone의 혼합액을 천천히 주입한다(Figure 37-A).
   안쪽가지 신경차단술을 시행하는 경우에는 가로돌기가 위관절돌기로 이어지는 부위에서 바늘 끝이 뼈에 닿도록 위치시키고, 1% lidocaine 1~2 mL를 천천히 주입한다(Figure 37-B).

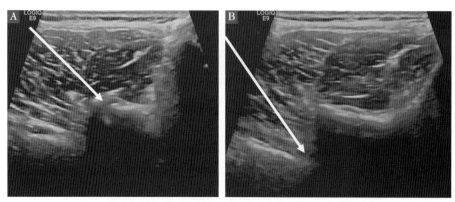

Figure 37. A: 요추의 후관절강내 주사, B: 요추의 안쪽가지 신경차단술

⑺ 경우에 따라서 안쪽가지 신경차단술을 시행하는 목표점은 비등방성으로 인하여 정확하게 관찰되지 않을 수 있는데, 이 때 주사바늘의 경로가 어긋나면 신경근을 자극할 수 있기 때문에 주의해야 하며, 바늘 끝이 뼈에 닿는 느낌을 확인한 후 주사를 시행할 때 목표점 주위의 근육이 주입되는 약물로 인하여 밀려 나오는 소견이 관찰되어야 한다.

⑻ 주사바늘을 제거하고, 주사부위를 가볍게 압박하여 지혈하면서 환자의 상태를 관찰한다.

⑼ 안쪽가지 신경차단술은 대개 3 level에 걸쳐 시행하는데, 이를 위하여 탐촉자를 두측 또는

미단부 방향으로 이동시키면서 다음 level의 목표점을 확인하고 동일한 술기를 반복한다.

3) 미추 경막외신경차단술(caudal epidural block)
(1) 환자의 양쪽 ASIS에 걸치도록 베개를 넣고, 엎드린 자세를 취한다.
(2) 아래 허리와 천추 부위에서 PSIS를 촉지하고, 양쪽의 PSIS를 한 변으로 하는 가상의 삼각
형을 상상하여 다른 꼭지점에 해당하는 부위 인근에서 천골각을 촉지한다.
(3) 이 부위에 고주파수 직선형 탐촉자를 횡방향으로 위치시켜서 양쪽 천골각과 그 사이에서 천
미인대와 더 깊은 곳의 천골열공을 확인하고, 탐촉자를 종방향으로 90° 돌려서 주사를 시행
한다. 주사바늘은 천미인대를 뚫고 천골열공에서 두측 방향으로 위치하게 된다(Figure 38).

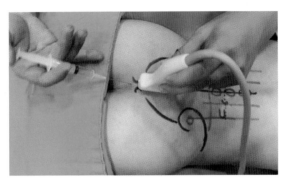

Figure 38. 미추 경막외신경차단술을 위한 바늘의 자입점과 방향

(4) 탐촉자를 무균상태로 준비하고, 주사부위를 소독한 후 다시 탐촉자를 위치시켜서 주사의
목표점을 확인한 후, 주사바늘의 자입점과 진입 방향을 결정한다. 이 부위에서 바늘의 자입
점은 항문(anus)과 근접하여 있기 때문에 소독에 특별히 주의하여야 한다.
(5) 2% lidocaine으로 주사부위의 피부에 국소마취를 시행한 후 평면 내 주사법으로 주사바늘
을 초음파로 관찰하면서 서서히 진입시켜 목표점에 다다르게 한다(Figure 39).

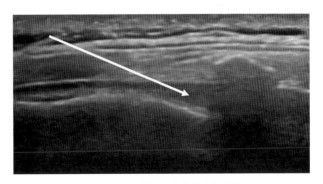

Figure 39. 미추 경막외신경차단술

(6) 바늘을 너무 깊이 진입시키면 경막내강(intradural space)으로 진입하게 될 수도 있고, 혈관 내 주사가 될 가능성이 매우 크기 때문에 반드시 주사 전에 흡인(aspiration)을 시행하여 뇌 척수액이나 혈액이 흡인되는지를 확인하여야 한다.

(7) 환자의 상태를 주의 깊게 관찰하면서 0.5~1% lidocaine 5~10 mL와 dexamethasone의 혼합액을 천천히 주입한다.

(8) 주사바늘을 제거하고, 주사부위를 가볍게 압박하여 지혈하면서 환자의 상태를 관찰한다.

(9) 다른 척추 주변의 주사에서도 운동신경의 차단(motor nerve block)이 발생할 수 있지만, 특히 경막외신경차단술을 시행하는 경우에는 주사 후 환자의 하지근력 저하가 발생할 확률이 매우 높기 때문에, 주사 후 30분~1시간은 환자로 하여금 절대안정을 취하도록 하여야 한다. 또한, 경막내강이나 혈관 내로 약물이 들어가는 경우에는 혈압이 저하되거나 의식이 혼탁해지는 등 생체징후의 이상소견이 발생할 가능성이 높기 때문에 환자의 상태를 주의 깊게 살펴야 한다.

4) 천장관절강내 주사(sacroiliac joint injection)

(1) 환자의 양쪽 ASIS에 걸치도록 베개를 넣고, 엎드린 자세를 취한다.

(2) 이전과 같은 방법으로 천골각을 촉지한 후 이로부터 둥근 모양으로 이어지는 천추의 외측 경계면(lateral margin)을 촉지한다.

(3) 이 부위에 고주파수 직선형 탐촉자를 횡방향으로 위치시켜서 천추의 외측 경계면을 초음파 영상으로 확인하고, 초음파 영상을 주시하면서 탐촉자를 경계면을 따라 두측 방향으로 3~5 ㎝ 가량 이동하면 더 외측에서 뼈의 윤곽이 나타나는데, 이는 장골이다. 천추와 장골 사이에 형성된 틈새가 천장관절의 아래쪽 끝 부위에 해당한다. 천장관절강내 주사를 시행하기 위하여, 탐촉자를 이 부위로부터 두측 방향으로 약 1 ㎝ 정도 이동시켜서 장골이 천골보다 조금 더 돌출되어 있는 부위에 위치시킨 후, 장골 하방의 비등방성 공간을 천장관절강내 주사의 목표점으로 삼는 것이 일반적이다. 환자가 비만한 경우에는 고주파수 직선형 탐촉자를 이용한 관찰이 어려울 수 있기 때문에 이 경우에는 저주파수 곡선형 탐촉자를 이용하도록 한다(Figure 40).

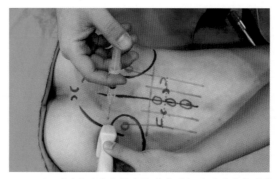

Figure 40. 천장관절강내 주사를 위한 바늘의 자입점과 방향

⑷ 탐촉자를 무균상태로 준비하고, 주사부위를 소독한 후 다시 탐촉자를 위치시켜서 주사의 목표점을 확인한 후, 주사바늘의 자입점과 진입 방향을 결정한다. 주사바늘은 중심에서 외측을 향하도록 진입시키게 되며, 이 부위는 인대 등이 밀집되어 있기 때문에 초음파 영상에서 주사바늘을 정확히 관찰하기 어려울 수 있으므로 탐촉자의 외측 끝을 기울여서 탐촉자의 접촉면과 주사바늘의 진입 방향이 최대한 평행을 이루도록 탐촉자를 조절한다 (Figure 41).

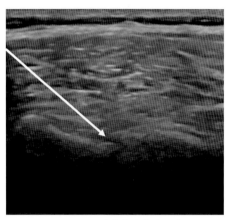

Figure 41. 천장관절강내 주사

⑸ 2% lidocaine으로 주사부위 피부에 국소마취를 시행한 후 평면 내 주사법으로 주사바늘을 초음파로 관찰하면서 서서히 진입시켜 목표점에 다다르게 한다. 이 부위는 주사로 인한 통증에 민감한 부위이기 때문에 국소마취를 충분히 하는 것이 바람직하고, 바늘의 끝으로 뼈를 심하게 자극하지 않도록 주의를 기울여야 한다.

⑹ 환자의 상태를 주의 깊게 관찰하면서 1% lidocaine 2~4 mL를 천천히 주입한다. 필요에 의해서 lidocaine과 dexamethasone이나 triamcinolone 등의 steroid를 혼합하여 사용할 수 있다. 주사 시에 심한 저항이 느껴진다면, 이는 바늘의 끝이 관절강내 공간이 아닌 인대 구조물 사이에 위치하고 있음을 의미하는데, 강제로 약물을 주사하면 환자는 심한 주사 통증을 느끼게 되므로 이런 경우에는 주사바늘의 위치를 재조정하도록 한다.

⑺ 주사바늘을 제거하고, 주사부위를 가볍게 압박하여 지혈하면서 환자의 상태를 관찰한다.

1. 내시경적 경막외강 신경근성형술(Endoscopic epidural neuroplasty)

보험 진료 지침

보험분류번호: 조631
보험EDI코드: SZ631
적용일자: 2001.05.01
급여여부: 비급여
행위유형: 인터벤션시술
패밀리명: 신경차단술_C-ram 이용

행위정위

경막외강 내시경을 이용하여 경막외강 내 유착을 제거, 협착 완화, 탈출된 추간판의 감압 등을 시행함. 경우에 따라 레이저를 이용한 추가적 시술을 시행할 수도 있음.

적응증(Indication)

아래와 같은 질환에 의하여 유발된 지속적인 통증을 호소하는 경우

1. 요추 척추관협착증
2. 요추 디스크질환
3. 척추수술 후 통증증후군
4. 척추압박골절로 인한 통증
5. 척추감염질환이 완전히 호전된 후에도 경막외유착으로 통증이 지속되는 경우
6. 기타 척추질환

실시방법

1. 환자를 수술침대에 엎드리게 하고 환자의 엉덩이 밑에 베개를 두어서 요추부 굴곡(lumbar lordosis)이 펴지도록 하고 양 무릎은 약간 굽히도록 하며 발목은 벌려서 양발이 각각 외전하도록 하여 환자의 천골틈새(sacral hiatus)를 노출시킨다.
2. 환자의 머리는 오른쪽이나 왼쪽으로 돌리도록 하고 필요에 따라 산소를 공급하도록 한다.

3. 시술하는 동안 진정을 계획하는 경우에는 산소공급 장치와 더불어 마스크와 인공호흡을 시킬 수 있는 응급시술 기구들뿐 아니라 응급구조 약도 바르고 투여할 수 있도록 미리 준비한다.

4. 시술하는 동안 환자의 안전을 위하여 심전도, 혈압, 심박동수, 맥박산소포화도 등 환자감시 장치들을 부착하여 주기적으로 관찰하도록 한다.

5. 시술부위 소독과 내시경 준비 천골틈새 부위를 회음부와 차단되도록 테이프를 붙이고 꼬리뼈 경막외강으로의 접근 부위를 중심으로 넓게 철저히 소독하고 소독포를 덮는다.

6. 소독된 경막외내시경에 카메라와 광원을 연결하고 초점을 맞춘 후 화이트 밸런스를 조정한다.

7. 천골틈새부위를 C-ram 영상증강장치를 이용하여 앞뒤면(anteroposterior, AP) 사진으로 확인하고 카테터를 삽입할 부위를 중심으로 국소마취를 한다.

8. 꼬리뼈 경막외강 입구가 충분히 국소마취가 되면 18 G Tuohy 바늘을 삽입한다. 이때 조영제를 3~5 mℓ 넣어서 조영제의 퍼짐을 관찰하여 경막외강의 해부학적 구조와 더불어 충만결손(filling defect) 등을 관찰하여 경막외내시경을 넣을 때 목표지점의 안내자로 삼을 수 있다.

9. Tuohy 바늘 안으로 유도철사(guide wire)를 넣고 바늘은 제거한 후에 유도철사 주위에 11번 칼(knife)로 5 mm 정도의 피부절개를 한다. 다음은 확장기(dilator) 등을 사용하여 seldinger 기법으로 카테터가 들어갈 수 있는 카눌라를 넣는다.

10. 카테터를 삽입한 후 카테터가 천골부위의 배측 경막외강부위에 거치되었는지 여부를 C-ram의 측면 영상을 통해 확인한 후 카테터를 병변부위로 전진시킨다.

11. 환자의 병변 부위에 도달하였다고 생각되면 C-ram 영상증강 장치의 앞뒤면과 측면 영상을 통하여 카테터의 위치를 다시 한 번 확인한다.

12. 카테터의 위치가 원하는 부위에 도달하였다고 판단되면 내시경과 레이저를 카테터에 연결한 후 생리식염수를 주입하면서 경막외강을 관찰한다.

13. 유착이 있는 부위는 유착박리술을 시행하는데 앞쪽 경막외강에서는 레이저를 이용하여 디스크를 제거하거나 반흔조직을 태울 수도 있다.

14. 시술이 끝난 뒤에는 조영제를 주입하여 시술 전 충만결손이 있었던 부위에 조영제가 흘러 들어가는지를 확인하고 신경근 조영이 좌우로 잘 되는지도 확인한다.

15. 필요에 따라 스테로이드나 hyaluronidase 등의 약제를 주입한다.

16. 모든 조작이 끝나면 출혈이 있는지 확인한 후에 삽입한 기구들을 서서히 제거하고 피부봉합을 한 후 환자를 회복실로 옮기고 관찰한다.

2. 경피적 풍선확장 경막외강 신경성형(Percutaneous epidural neuroplasty with balloon catheter)

보험 진료 지침

보험분류번호: 조-639
보험EDI코드: SZ641
적용일자: 2015.04.20
급여여부: 비급여

정의 및 적응증

만성요통 · 하지통증을 호소하는 척추관협착증 및 척추수술후 증후군에서 통증의 완화 만성요통 ·
하지통증을 호소하는 척추관협착증 및 척추수술후 증후군 환자

실시방법

1. 미추 경막외강에 가이드 니들을 삽입 후 조영제를 주입하여 C-arm으로 유착 및 협착부위를 확
   인한다.
2. 가이드 니들을 통해 카테터(ZiNew catheter)를 삽입하여 좌우로 움직이면서 병변부위에 접근한
   다.
3. 병변부위에서 풍선을 5초 이내로 확장 한 후 이완한다. 이러한 풍선확장 및 이완을 병변 부위 전
   체에 2~3회 반복 실시한다.
4. 풍선 시술 후 조영제를 투여하여 유착 및 협착 완화를 확인한다.
5. 경막외강내 다른 위치에 병변부위가 있을 시 같은 방법으로 그 부위도 시술한다.
6. 각각의 시술 부위에 국소마취제, 스테로이드, 유착완화제 등을 투여한다.
7. 병변이 제일 심한 부위에 카테터(ZiNew catheter)의 약물 주입구를 통해 얇은 경막외강 약물주입
   용 카테터를 거치시킨 후 ZiNew catheter만을 제거한다.
8. 남아있는 카테터를 통해 2~3일 동안 고농도 식염수를 포함한 추가적인 약물을 투여할 수 있다.
* 필요시 약액주입구를 통하여 내시경(연성내시경, 외경1.0 mm 이하)을 사용할 수 있다.

비급여 수술인 경피적 경막외강 신경성형술(percutaneous epidural neuroplasty)에 요양 급여로 청구한 항생제 등에 대하여

심의배경
비급여 수술인 경피적 경막외강 신경성형술(percutaneous epidural neuroplasty)에 요양 급여로 청구된 항생제 등의 인정여부에 대하여 심의함.

심의내용
경피적 경막외강 신경성형술에 요양 급여로 청구된 항생제는 수술전 예방적 항생제 투여가 감염을 줄이는 데 효과적이라는 점을 고려하여, 비경구투여 1회 포함 경구 투약 항생제는 3일 이내에서 인정키로 함. 또한 경피적 경막외강 신경성형술을 위한 입원여부는 환자의 상태에 따라 사례별로 판단해야 하나, 동 시술이 국소마취하에 경피적으로 실시하는 시술임을 감안할 때, 외래에서 시술하는 것이 타당하다고 판단됨.

3. 체외충격파치료[근골격계질환](Extracorporeal shock wave therapy)

보험 진료 지침

보험분류번호: 조-84
보험EDI코드: SZ084
적용일자: 2006.01.01
급여여부: 비급여
행위유형: 인터벤션시술
패밀리명: 체외충격파쇄석술

적응증(Indication)

건증(tendinopathy): 석회성 건염 및 기타 건염(tendinitis), 건증(tendinosis), 건초염(tenosynovitis)
등 (예: 극상건증, 주관절 외상과염, 슬개건염, 아킬레스건증, 족저근막염 불유합, 골괴사증, 상세불명 만
성통증)

행위정위

인대나 건, 근육에 염증이나 만성통증이 있을 경우 체외충격파를 시행함으로서 혈관벽을 통하여
사이토카인 분비가 증가되고, 혈관생성과 치유를 촉진시키는 방법이며, 신경섬유의 퇴행성 변화나
통각상실의 과자극에 의하여 통증을 감소시키는 방법임.
상완골 내상과염 및 외상과염, 족저근막염, 견관절 석회화 건염, 골절 지연 유합 등에 체외에서 충
격파를 병변에 가해 혈관 재형성을 돕고, 건 및 그 주위 조직과 뼈의 치유과정을 자극하거나 재활
성화시켜, 통증의 감소와 기능의 개선을 위한 치료법임.

체외충격파에 의한 통증이 심할 경우

1. 필요시 통증이 있는 해부학적 구조물에 부분마취를 시행한다.
2. 마취가 완료된 후 oil 또는 jelly를 도포한다.
3. 대상 병변에 적절한 세기와 빈도를 결정한다.
4. 필요시에는 초음파를 이용하여 위치를 확인한 후 정확한 부위에 충격파 발생기를 위치시킨다.
5. 충격파 발생장치를 작동하여 병변에 충격을 가한다.

체외충격파에 의한 통증이 심하지 않을 경우

1. 대상병변에 적절한 세기와 빈도를 결정한다.
2. 필요시에는 초음파를 이용하여 위치를 확인한 후 정확한 부위에 충격파 발생기를 위치시킨다.
3. 충격파 발생장치를 작동하여 병변에 충격을 가한다.
* 병변의 위치(압통)를 환자가 정확하게 인자하고 있는 경우에는 의사의 설명 및 기계조작 후에 환자 본인의 충격파 발생장치를 병변에 정확히 위치시켜서 시행할 수 있다.

[대한의사협회 회신 주요 내용]
체외충격파(ESWT)는 의사가 직접 시행하는 행위임을 원칙으로 하되, 위치를 명확히 지시하고 단순위치 고정업무처럼 치료 목적과 결과에 영향을 미치지 않을 것으로 예상되는 경우에도 의사의 지시와 감독하에 시행하여야 하므로 의사가 아닌 의료인 또는 보건의료인 단독으로 사용하는 것은 불가능(2014.09.26 보건복지부의 질의에 대한 회신).

[보건복지부 유권해석 2015.12.30]
체외충격파치료(ESWT)는 의사가 직접 시행하는 행위임을 원칙으로 하되, 의사가 위치를 명확히 지시하고, 단순위치 고정업무(환부 주위로 약간의 이동을 전제함)처럼 치료 목적과 결과에 영향을 미치지 않을 것으로 예상되는 경우 의사의 지시와 감독하에 물리치료사가 시행 가능함.

도수치료[1일당](Manual therapy)

보험 진료 지침

보험분류번호: 서-122
보험EDI코드: MX122
적용일자: 2006.01.01
급여여부: 비급여
행위유형: 병실외래처치
패밀리명: 운동 및 전문재활치료

정의 및 적응

해부학적 및 척추운동역학적 병변에 대한 지식을 가진 시술자의 손을 이용하여 가동범위 기능적 감소, 구조의 비대칭성이 있는 근골격계질환, 급만성 경요추부통증, 척추후관절증후군 등에 신체 기능 향상을 위하여 실시함.
척추관절 가동범위의 기능적 감소, 구조의 비대칭성, 조직 질감 변화 등을 보이는 근골격계통 질환으로 통증을 호소하는 경우

Chiropractic

정밀 이학적검사, 방사선 line drawing 분석 등을 통해 척추 관련 이상여부 진단 후 신경흐름을 방해하거나 기능적 문제가 있는 척추분절이나 사지관절에 high-velocity & low-amplitude의 direct thrust를 가해 해당 관절기능부전 해소

Manipulation

병력청취, 이학적검진, 시진, 촉진, 각 분절 움직임 정도 검사를 통해 자세한 구조적 이상, 압통점, 신체비대칭성, 변화된 관절가동범위, 조직절감변화 등을 조사해 이상여부를 보고, 관절가동범위가 생리적 범위인지 병적 범위인지 확인 후 점진적 또는 급격한 방법으로 병적 관절가동범위를 치료

금기증(Contraindication)

염증성 변화, 암, 해부학적 변화를 일으키는 외상, 중증의 골다공증, 심한 퇴행성변화, 추골동맥의 증명된 기형이 있거나 의심되는 경우, 정신과적 문제 동반 시

도수치료[1일당] – 관절

관절가동범위의 기능적 감소, 구조의 비대칭성, 조직 질감 변화 등을 보이는 류마티스 관련 질환 및 근골격계 질환[예: 류마티스 관절염, 관절내 유리체(loose body), 유착성 관절염, immobilization syndrome 등]

실시방법

1. 시술 직전 간략한 이학적 검진을 통해 환자 상태에 변화가 없는지 확인한다.
2. 치료테이블 위에서 환자를 적절하게 위치시킨다.
3. 보조자(1~2인 필요)의 도움을 받아 환자를 눕혀놓은 상태에서 고정시킨 후 환자의 다리를 잡고 점진적으로 견인을 하면서 회전시킨다(고관절 및 무릎관절 경우). 견관절인 경우는 환자를 지속적으로 환자의 팔을 견인하고 이를 반복한다.
4. 치료 직후 이학적 검진을 통해 환자 상태를 재평가하여 재치료 여부를 판단한다.

도수치료[1일당] – 척추

척추관절가동범위의 기능적 감소, 구조의 비대칭성, 조직 질감 변화 등을 보이는 근골격계 질환으로 통증을 호소하는 경우(기능적 또는 기계적 요추부통증, 급성요통(acute annular lumbago), 류마티스 관절염, 강직성 척추염, 추간판 탈출증 및 방사통, 척추후관절증후군 등).
Target 목, 등, 허리의 뼈, 관절, 연부조직.

실시방법

1. 시술 직전 요천추부 및 골반부의 기능적 검사를 통해 환자 상태에 변화가 있는지 확인하고 치료할 대상 부위를 결정한다.
2. 치료테이블 위에서 환자를 적절하게 위치시킨다.
3. 점진적 또는 급격한 방법으로 척추의 생리적 관절가동범위를 넘어서는 힘을 가해 척추관절에 회전력 또는 신전력을 주어 척추관절에 안전한 thrust를 전달하고 척추관절 주위 근육과 인대의 이완을 돕는다.
4. 치료 직후 이학적 검진을 통해 환자 상태를 재평가하여 재치료 여부를 판단한다. 운동역학적 병변에 대한 지식을 가진 의사의 손을 이용하여 가동범위 기능적 감소, 구조의 비대칭성이 있는 근골격계 질환, 급만성 경요추부통증 척추후관절증후근 등에 신체기능 향상을 위하여 실시하는 치료. 척추관절가동범위의 기능적 감소, 구조의 비대칭성, 조직 질감 변화 등을 보이는 근골격계통 질환으로 통증을 호소하는 경우.

INDEX